ANTSY DOES TIME

Voor Stephanie,
mijn redactionele muze

Neal Shusterman

Antsy Does Time

Hij werkt zich steeds weer in de nesten

Vertaald door Lydia Meeder

Lemniscaat  Rotterdam

© Nederlandse vertaling Lydia Meeder 2010
Omslag: Leentje van Wirdum
Omslagfoto: Justin Pumfrey / Getty Images
Nederlandse rechten Lemniscaat b.v. Rotterdam 2010
ISBN 978 90 477 0205 4
Copyright © Neal Shusterman, 2008
Oorspronkelijke titel: *Antsy Does Time*
All rights reserved.
First published in the United States of America by Dutton Children's Books,
a division of Penguin Young Readers Group, 345 Hudson Street, New York,
New York 10014, U.S.A., 2008

Druk en bindwerk: Hooiberg | Haasbeek, Meppel

*Dit boek is gedrukt op milieuvriendelijk, chloorvrij gebleekt en verouderings-
bestendig papier en geproduceerd in de Benelux waardoor onnodig milieu-
verontreinigend transport is vermeden.*

'Brengt het verdorde land fruit noch bloemen voort, graan noch groenten, dan zal de mens getroffen worden door vertwijfeling. Treft de blaam zijn zonden, of is het louter het broeikaseffect?

– John Steinbeck*

*maar niet heus

DE WARE REDEN WAAROM MENSEN ALS WEZENLOZEN NAAR EEN OPTOCHT ZITTEN TE KIJKEN

Het was allemaal mijn idee. De stomme ideeën zijn meestal van mij. Heel af en toe is een geniaal idee ook wel eens van mij, maar nooit bewust. Je weet wat ze zeggen: als je, pak 'm beet, veertienduizend apen honderd jaar lang achter veertienduizend toetsenborden zet, houd je na afloop behalve een heleboel dooie apen uiteindelijk ook wel een meesterwerk over. Dat zouden ze op school dan als lesmateriaal gebruiken, puur om je te pesten, want als een aap iets briljants kan schrijven, waarom kun jij dan geen vijf miezerige zinnetjes neerpennen als inleiding voor je werkstuk?

Van dit idee weet ik niet of het een briljante-aap-idee was of een domme-Antsy-idee, maar het had in elk geval het vermogen heel wat levens te veranderen.

Ik heb het 'tijdschrapen' genoemd, en dat is niet waar jij nu waarschijnlijk aan denkt, dus voordat je over tijdmachines begint te fantaseren, moet je even opletten waar het om draait. Er gaat niemand terug naar het verleden om Napoleon met kernbommen te bestoken, of om Jezus een mobieltje te geven of zoiets. Er komen helemaal geen tijdreizen in voor. Maar er gaan wél mensen in dood – en ook op vreemde, geheimzinnige manieren, als je gevoelig bent voor dat soort dingen.

Ik, nou ja, ik wilde alleen maar proberen een vriend te helpen. Het had nooit opgeblazen mogen worden, zoals een reuzenballon in de Thanksgivingoptocht die door de wind wordt meegesleurd.

Wat overigens precies is hoe het allemaal begon.

Op de ochtend van Thanksgiving zat ik met mijn vrienden Howie en Ira bij ons op de hobbyzolder. Vroeger hadden we een hobbykelder – je weet wel, vol met afgedankte oude meubels, een tv, en een grote onaantastbare zone in de hoek waar een biljarttafel zou komen te staan, als we die ons in een of andere verre Star Trek-achtige toekomst konden veroorloven. Tot de kelder besmet was geraakt met een giftige schimmel en we hem hadden moeten afgrendelen van de rest van het huis, voordat het kwaad zich zou verspreiden en kanker of hersenbeschadiging zou veroorzaken, of de wereldheerschappij zou overnemen. Zelfs nadat de schimmel was uitgeroeid, bleven mijn ouders de kelder benaderen alsof het een radioactief gebied was, onbewoonbaar verklaard voor de komende drie generaties.

Dus nu hebben we een recreatiezolder, vol nieuwe afgedankte meubels, en ruimte voor hooguit een monopoliebord in plaats van een biljarttafel.

Hoe dan ook, Howie, Ira en ik zaten die ochtend van Thanksgiving naar een sportwedstrijd te kijken, en tijdens de reclames zapten we naar de optocht om geintjes te maken over de fanfares.

'O! O! Moet je die zien!' riep Ira, met een rare uitdrukking op zijn gezicht die het midden hield tussen plezier en afgrijzen.

De groep gaf een vertolking van '(I Can't Get No) Satisfaction' die op zichzelf indrukwekkend was, maar het effect werd bedorven door hun roze-met-oranje uniformen.

Howie schudde zijn hoofd. 'Zolang ze in zulke kleren blijven rondlopen, kunnen ze die *satisfaction* wel vergeten.'

'Antsy, had jij niet ook zo'n shirt?' vroeg Ira.

Eigenlijk heet ik Anthony, maar ik word al zo lang Antsy genoemd dat ik mijn naam officieel zou moeten veranderen. Ik ben er op zich wel blij mee, want er wonen zo veel Anthony's in de buurt dat als een moeder die naam uit het raam roept, er vanwege de stormloop een verkeersopstopping ontstaat. Maar Antsy is een unieke naam – op die ene keer na dat een joch probeerde me na te apen en zichzelf Antsy begon te noemen, waarna ik mijn naam dus als Antsy® ben gaan schrijven, en heb gedreigd hem in elkaar te timmeren voor het stelen van mijn identiteit.

Goed, over dat shirt. Ik praat er liever niet over, maar ik heb inderdaad een oranje-met-roze shirt, hoewel dat een ander soort roze is.

'Ik heb er een, maar daarom hoef ik het nog niet te dragen,' zei ik tegen Ira. Ik had het op mijn veertiende verjaardag cadeau gekregen van mijn tante Mona, die geen kinderen heeft en ook geen gezond verstand. Je mag één keer raden hoe vaak ik het aan heb gehad.

'Zouden ze wel eens hebben onderzocht of je een epileptische aanval kunt krijgen als je naar die kleurencombinatie kijkt?' vroeg Howie. 'Laten we een proef doen.'

'Best. Ik haal mijn shirt, jij mag er zes uur naar staren, en dan kijken we of je gaat stuiptrekken.'

Howie dacht er serieus over na. 'Mag ik wel af en toe pauzeren om te eten?'

Laat ik even proberen uit te leggen hoe het zit met Howie. Ken je die irritante ingeblikte telefoonstem van de klantenservice die je eindeloos in de wacht laat hangen voordat je wordt doorverbonden met een medewerker? Nou, Howie is de muzak tijdens het wachten. Op zich is hij niet dom, hoor – hij heeft een vruchtbare geest als het op analytische zaken als wiskunde aankomt – maar zijn fantasie is te vergelijken met een koude winter in een Antarctica waar de pinguïns nooit hebben leren zwemmen.

Op tv was de fanfare inmiddels haast voorbij, en in de verte zag je een van de gigantische ballonnen van de optocht opdoemen. Dit was er een in de vorm van de klassieke stripfiguur Roadkyll Raccoon, compleet met die beruchte bandensporen van een monstertractor op zijn rug. We stonden op het punt weer naar de wedstrijd terug te schakelen, toen Ira iets vreemds opviel.

'Zie ik het nou verkeerd, of is Roadkyll op het oorlogspad?'

En inderdaad, Roadkyll hing aan zijn lijnen te bokken en te schokken als Godzilla die Tokio probeert uit te schakelen. Ineens blies een harde windstoot de hoeden van de fanfareleden af, en toen hij Roadkyll bereikte, begon die zich los te wurmen en naar de hemel te koersen. De meeste begeleiders waren zo snugger de koorden los te laten, op drie sukkels na die besloten met het luchtschip mee op te stijgen.

Plotseling was dit veel boeiender dan de sportwedstrijd.

Howie zuchtte. 'Hoe vaak heb ik het niet gezegd? Helium is dodelijk.'

De camera's waren niet meer op de optocht gericht – ze zoomden allemaal in op de wasbeer die in een opwaartse luchtstroom langs de zijkant van het Empire State Building omhoog dreef, met de drie mannen als circusacrobaten eronder. Toen, net op het moment dat het erop leek dat Roadkyll naar de maan zou verdwijnen, bleef hij aan de spits van het gebouw haken en raakte lek. Nog geen minuut later was het hele gevaarte leeggelopen en was de bovenkant van de wolkenkrabber bedekt met rubberen wasberenhuid. De drie gestrande bungelaars klampten zich uit alle macht aan hun touwen vast.

Ik was de eerste die van mijn stoel sprong. 'Kom op, we gaan erheen,' zei ik, want bepaalde gebeurtenissen moet je persoonlijk meemaken.

We namen de metro naar Manhattan. Meestal zat die flink vol vanuit onze buurt in Brooklyn, maar omdat het Thanksgiving was, waren de rijtuigen nagenoeg leeg. Er zaten alleen wat types zoals wij in, die op weg waren naar het Empire State Building om getuige te zijn van een historisch voorval.

Ira, die een innige en bedenkelijke relatie heeft met zijn videocamera, zat liefkozend de lens te poetsen terwijl hij zich erop voorbereidde het spektakel van vandaag vast te leggen voor latere generaties. Howie zat verdiept in John Steinbecks *Of mice and men,* verplichte kost voor Engels. Het is zo'n boek waarmee leraren je een hak proberen te zetten – want het is heel dun, maar nogal diep zogezegd, dus je moet het twee keer lezen.

Tegenover ons zat Gunnar Ümlaut – een jongen die hier vanuit Zweden naartoe was geïmmigreerd toen we allemaal nog op de lagere school zaten. Gunnar heeft schaamteloos lang blond haar en een berustende blik vol Scandinavische wanhoop waar alle meiden die zijn pad kruisen voor smelten. En als dat niet werkt, lukt het wel met het lichte accent dat hij zichzelf aanmeet zodra er vrouwen in de buurt zijn – ook al woont hij al vanaf zijn zesde in Brooklyn. Niet dat ik jaloers ben of zo – ik heb bewondering voor mensen die hun talent benutten.

'Hé, Gunnar,' zei ik. 'Waar ga je naartoe?'

'Wat dacht je? Naar het Roadkyll-debacle natuurlijk.'

'Mooi,' zei ik, en ik archiveerde 'debacle' in het speciale vakje voor woorden waarvan ik nooit de betekenis zal kennen.

Goed, Gunnar zat daar, helemaal ontspannen onderuitgezakt, zijn armen over de rugleuning, alsof er twee onzichtbare meisjes naast hem zaten. (Breek me de bek niet open over onzichtbaar. Lang verhaal.) Hij wierp een vluchtige blik op Howies boek en zei: 'Die achterlijke gozer gaat dood aan het eind.'

Howie keek op naar Gunnar, slaakte een zware zucht die een leven vol bedorven aflopen verried en sloeg het boek met een klap dicht.

Ik grinnikte, waardoor hij nog pissiger werd.

'Fijn hoor, Gunnar,' snauwde Howie. 'Nog meer titels die je voor ons wilt verpesten?'

'Volop,' zei Gunnar. 'In *Citizen Kane* blijkt Rosebud de naam van een slee te zijn, Charlotte de spin sterft na de jaarmarkt, en *Planet of the Apes* staat voor de aarde in de verre toekomst.' Hij glimlachte er niet bij. Gunnar glimlacht nooit. Volgens mij vinden meiden dat ook wel stoer aan hem.

Tegen de tijd dat we op Thirty-fourth Street uitstapten, waren alle toeschouwers van de optocht naar het Empire State Building getrokken, belust op de sensatie iemand die ze toch niet kenden te pletter te zien vallen.

'Als ze het niet overleven,' merkte Gunnar op, 'is het onze verantwoordelijkheid er getuige van te zijn. Zoals Winston Churchill ooit heeft gezegd: "Getuigen van een vroegtijdige dood geven het verloren leven diepere betekenis".'

Zo praat Gunnar altijd – heel gewichtig, alsof zelfs stompzinnigheid zin kan hebben.

Overal om ons heen stonden politieagenten tegen de menigte te schreeuwen, met een hand op hun wapenstok, en ze riepen dingen als: 'Pas op of ik gebruik hem!'

Boven ons had het Empire State Building nog steeds een muts van wasberenhuid op, en de drie onfortuinlijke ballonnenbegeleiders hingen nog op precies dezelfde plek als toen we van huis waren vertrokken – ze klampten zich nog steeds vast aan de touwen.

Ira gaf me zijn camera, waar een 500X-lens op zat, voor het geval ik toevallig hun neusharen wilde bestuderen.

Het was lastig richten als hij op inzoomen stond, maar toen dat eenmaal lukte, zag ik binnen brandweermannen en politie die via de ramen probeerden de mannen te pakken te krijgen. Het wilde niet echt vlotten. In de menigte ging intussen het gerucht dat er een reddingshelikopter onderweg was.

Eén vent had het touw rond zijn middel weten te knopen en slingerde heen en weer naar de gevel, maar de reddingswerkers konden geen grip op hem krijgen. De tweede had zijn handen eromheen geklemd en het rond zijn voeten gehaakt – die was het Newyorkse onderwijssysteem nu vast dankbaar omdat dat hem bij gymles onder dwang was bijgebracht. De derde was het slechtst af. Hij bungelde aan een stok aan het eind van zijn lijn, als aan een vliegende trapeze die gestopt is met vliegen.

'Hé, laat mij ook eens kijken!'

Howie pikte de camera in, en daar was ik ergens wel blij om, want mijn maag begon in opstand te komen. Ik vroeg me ineens af wat me eigenlijk had bezield om hierheen te komen.

'Wedden dat die gasten hier na afloop een boek over schrijven?' zei Howie, die er kennelijk van uitging dat ze het alle drie zouden overleven.

Gunnar had er de hele tijd zwijgend bij gestaan, zijn ogen gefixeerd op het drama in de lucht, met een ernstige uitdrukking op zijn gezicht. Hij betrapte me erop dat ik hem stond op te nemen.

'Ik loop sinds een paar maanden alle ongelukken en rampen af,' zei hij tegen me.

'Waarom?'

Hij haalde zijn schouders op alsof het de normaalste zaak van de wereld was, maar ik voelde aan dat er meer achter zat.

'Ik vind het... onweerstaanbaar.'

Als iemand anders dat had gezegd, was het een waarschuwing geweest dat ik met een seriemoordenaar te maken had, maar uit Gunnars mond klonk het helemaal niet raar, het was vast een of ander ondoorgrondelijk Scandinavisch trekje – zoals met al die buitenlandse films waarin iedereen doodgaat, inclusief de regisseur, de cameraman en het halve publiek.

Gunnar schudde treurig zijn hoofd terwijl hij naar de arme zielen boven ons keek. 'Zo kwetsbaar...' zei hij.

'Wat?' vroeg Howie. 'Ballonnen?'

'Nee, het menselijk leven, sukkel,' zei ik tegen hem. Heel even verscheen er een zweem van iets wat zomaar een glimlach had kunnen zijn om Gunnars lippen. Misschien omdat ik hardop had gezegd wat hij dacht.

Om ons heen steeg applaus op, en toen ik omhoog keek, zag ik dat de slingeraar eindelijk was vastgegrepen door een agent en door het raam naar binnen werd getrokken. Onder aan de inmiddels gearriveerde helikopter hing een kerel als een actieheld aan een touw; hij probeerde de trapezeartiest op te pikken. Er viel een stilte die je maar zelden meemaakt in de stad. Het duurde een paar ijzingwekkende minuten lang, maar de man werd gered en door de helikopter weggevoerd. Nu was er nog maar eentje over; degene die de kalmste leek van allemaal, die alles onder controle had. Degene die nu plotseling uitgleed en de afgrond in stortte.

Iedereen hapte naar lucht.

'Nee!' bracht Ira uit, zijn oog tegen de camera geperst.

De man scheerde omlaag. Hij bleef maar vallen. Hij maaide niet eens met zijn armen – het leek wel of hij zich al bij zijn lot had neergelegd.

Ineens kon ik het niet meer aanzien. Ik blikte vlug weg, het maakte me niet uit waarheen. Mijn schoenen, de schoenen van andere mensen, het putdeksel onder me.

Ik hoorde hem niet neersmakken. Gelukkig niet. Het mocht dan mijn idee geweest zijn om hierheen te gaan – als puntje bij paaltje kwam, wist ik dat er bepaalde dingen waren waarnaar je niet hoorde te kijken.

Naast me had ook Gunnar zich afgewend, ondanks al zijn praatjes over het bijwonen van ongelukken en rampen. Zijn gezicht was vertrokken en hij had zijn handen voor zijn ogen geslagen.

Langzaam drong het tot de toeschouwers door dat dit geen amusement was. Ze lieten hun ingehouden adem ontsnappen en kreunden vol weerzin.

Zelfs Howie en Ira zagen wat bleek rond de neus.

'Laten we wegwezen voordat de metro straks afgeladen zit,' stelde ik voor, en ik probeerde minder verstikt te klinken dan ik me voelde.

Maar als ik het al benauwd had, was het niets vergeleken bij Gunnar. Die was zo lijkwit dat ik bang werd dat hij flauw zou vallen. Hij stond ook een beetje te wankelen

Ik greep hem bij zijn arm om hem in evenwicht te houden. 'Hé... hé, gaat het wel?'

'O, ja hoor,' antwoordde hij. 'Niks bijzonders. Hoort gewoon bij het ziektebeeld.'

Ik nam hem op, twijfelde of ik hem wel goed had verstaan. 'Ziektebeeld?'

'Ja. Systemische pulmonale monoxie.' En toen zei hij: 'Ik heb nog maar een halfjaar te leven.'

Het idee dood te gaan heeft me nooit zo aangesproken. Als klein kind vond ik het al verdacht, zoals Roadkyll in *Adventures of Roadkyll Raccoon and Darren Headlightz* aan het eind van elke aflevering plat werd gereden en zich dan in de volgende gewoon weer te grazen liet nemen. Het strookte niet met de realiteit die ik kende. Volgens het geloof waarmee ik ben grootgebracht, kun je in het hiernamaals in wezen maar drie kanten op.

Mogelijkheid een: Je bent toch niet zo'n ellendeling als je dacht, en je gaat naar de hemel.

Mogelijkheid twee: Je bent toch niet zo'n braverik als je dacht, en je gaat ergens anders heen, naar dat oord dat tegenwoordig met dubbele ijshockeysticks wordt gespeld, wat overigens nergens op slaat, want dat is nou juist de enige sport die ze daar niet kunnen bedrijven, tenzij ze op kokend water schaatsen in plaats van op ijs, maar dat zal niet gauw gebeuren, omdat alle waterbewandelende figuren in de hemel zitten.

Op zondagsschool heb ik een keer een opstel moeten schrijven over de hemel, dus ik weet er alles van. In de hemel zit je bij je overleden familie, het is er altijd zonnig, en iedereen heeft een mooi uitzicht – niemand kijkt uit op een smerige vuilnisbelt of zoiets. Ik wil wel even kwijt dat als ik de eeuwigheid met mijn hele familie door moet brengen, terwijl iedereen elkaar aldoor knuffelt en dikke maatjes is met God en alles, ik knettergek zal worden. Het zou te veel weg hebben van de bruiloft van mijn nicht Gina voordat de gasten dronken waren geworden. Hopelijk neemt God het me niet kwalijk dat ik het zeg, maar het klinkt mij allemaal erg ijshockeystickerig in de oren.

Wat dat andere oord betreft: het meisje dat daarover haar werkstuk had gemaakt, had al haar feitenkennis uit griezelfilms opgedaan, dus op de spetterende special effects na was haar versie hoogst onbetrouwbaar. Er zouden zogenaamd negen niveaus zijn, en hoe lager je komt, hoe heter het wordt. Stel je maar een barbecue voor waarbij jij zélf op de grill ligt te sissen – en dan niet per ongeluk, zoals bij mijn vader afgelopen zomer. En dat het gaar worden net zo traag gaat als bij die joekels van biefstukken van Costco – hoe lang je er ook op ligt, je blijft tot in het oneindige rauw vanbinnen.

Mijn moeder, die God ongetwijfeld wel eens tips zal geven, want ze valt verder ook iedereen lastig met haar adviezen, zegt dat dat praatje over eeuwig branden is verzonnen om mensen bang te maken. In werkelijkheid is het er juist koud en eenzaam. Eindeloze verveling – het lijkt mij veel aannemelijker, want dat is erger dan gebraden worden. Wanneer je ligt te verschroeien, heb je in elk geval iets wat je gedachten in beslag neemt.

Er is nog een derde mogelijkheid, het vagevuur, wat een mildere, lichtere variant is van het oord op de bodem. Het vagevuur is Gods versie van het strafbankje – tijdelijke vlammen van loutering. Dat vind ik nog het meest aantrekkelijke idee, hoewel het me eerlijk gezegd ook niet helemaal lekker zit. Ik bedoel, God houdt toch van ons, hij zou toch de volmaakte vader zijn? Stel je eens voor dat een vader op zijn kind af stapt en zegt: 'Ik hou van je, maar ik zal je moeten straffen door je te roosteren boven vlammen van loutering, en dat gaat verschrikkelijk veel pijn doen.' Jeugdzorg zou op zijn achterste benen staan, en voor we het wisten zaten we allemaal in een pleeggezin.

Ik denk dat je die hel en dat vagevuur net zo moet opvatten als de dreigementen van je ouders. 'Als je je zusje nog één keer plaagt, zweer ik dat ik je vermoord,' wordt: 'Bega nog één zonde, en sta Me bij, Ik zal je boven eeuwige vlammen laten sudderen, jongeman.'

Je mag het gek vinden, maar ergens stelt het mij gerust. Het betekent dat God inderdaad van ons houdt. Hij heeft gewoon soms zijn dag niet.

Al met al waren deze gedachten geen troost voor mij als het op Gunnar Ümlaut aankwam. Het feit dat een bekende van me dood

zou gaan – en dan niet iemand die oud was en daarom toch al doodging – zat me vreselijk dwars. Eigenlijk had ik hem wel beter willen
kennen, maar als ik hem beter had gekend, zou ik nu heel erg ver-
drietig zijn, dus waarom zou ik dat willen, en moest ik me schamen
omdat ik het niet wilde? Vaag kreeg ik het idee dat ik me ergens
schuldig over hoorde te voelen, en dat gevoel haat ik.

Op de terugweg van het Roadkyll Raccoon-incident zeiden we maar
weinig. Na wat we hadden zien gebeuren en na wat Gunnar mij had
verteld, had niemand veel zin om te praten. We maakten wat opmerkingen over de sportuitzending die we misliepen, en over school,
maar we zaten vooral naar de reclameaffiches en uit het raam te staren, zodat we niet naar elkaar hoefden te kijken. Ik vroeg me af of
Howie en Ira hadden gehoord wat Gunnar tegen me had gezegd,
maar ik wilde er niet naar vragen.

'Zie je,' was het enige dat we tegen elkaar zeiden toen we uitstapten, en Howie, Ira en Gunnar gingen alle drie naar huis om
Thanksgiving te vieren.

Ikzelf vond thuis een briefje van mijn ouders, met koeienletters
en uitroeptekens, waarin ze me opdroegen *OP TIJD!!!* in het restaurant te zijn.

Mijn vader werkt als bedrijfsleider in een Frans/Italiaans restaurant dat *Paris, Capisce?* heet. Dat is pas sinds kort. Vroeger had hij
een kantoorbaan bij een kunststoffabrikant, maar daar hebben ze
hem ontslagen – door mijn toedoen. Dat geeft verder niet, want zijn
nieuwe baan heeft hij ook door mijn toedoen gekregen. Het is een
lang verhaal uit de bizarre wereld van de ouwe Crawley. Als je wel
eens van hem hebt gehoord, en wie heeft dat niet, dan weet je dat
het ook een verhaal is dat je beter met een lange stok van je af kunt
houden. Hoe dan ook, uiteindelijk was het allemaal goed afgelopen, want het drijven van een eigen horecazaak was altijd mijn vaders grote droom geweest.

Het was alleen heel snel duidelijk geworden dat een restaurant
zich niet door jou laat drijven, maar dat jij door het restaurant

wordt gedreven. We worden allemaal ingezet. Ma springt bij als er te weinig serveersters zijn, ik word constant opgeroepen om tafels af te ruimen, en mijn zusje Christina heeft als taak de servetten in dierenvormen te vouwen. Alleen mijn oudere broer Frankie weet zich te drukken, omdat hij buiten de stad studeert, en trouwens, wanneer hij wel in Brooklyn is, vindt hij het werk beneden zijn stand.

Mijn specialiteit is water schenken.

Niet lachen – dat kan niet zomaar iedereen. Ik kan vanaf elke willekeurige hoogte inschenken en ik mors nooit een druppel. Soms krijg ik zelfs applaus.

Met Thanksgiving zouden we zwaar op de proef worden gesteld, dat wisten we allemaal. Niet alleen als restaurant, maar ook als gezin. Kijk, Thanksgiving is bij ons altijd een groots gebeuren geweest, omdat we zo'n enorme familie hebben met allerlei tantes, ooms, nichten, neven en mensen die ik amper ken maar die uiteenlopende lichaamsdelen hebben die op die van mij lijken. Maar omdat tegenwoordig met Thanksgiving steeds meer buiten de deur wordt gegeten, had pa besloten een speciaal menu samen te stellen voor *Paris, Capisce?* en het traditionele Bonano-maal bij ons thuis een keer over te slaan. Iedereen was in een kramp geschoten. We hadden nog aangeboden het dan maar een dag op te schuiven, maar ze hadden vierkant geweigerd het feest uit te stellen. Nu zijn wij de verschoppelingen, in elk geval tot aan Kerstmis, wanneer het wel weer bijgelegd zal worden. En mijn vader zal het niet in zijn hoofd halen de zaak dan ook open te houden, want mijn moeder heeft gedreigd dat hij dan meteen een stretcher in het magazijn neer kan zetten, omdat hij daar dan voorlopig zal mogen slapen. Ma is heel direct in dat soort dingen, omdat subtiele hints niet aan hem besteed zijn.

Over Thanksgiving was ze tegen ons ook heel direct geweest. 'Laat ik niet horen dat jullie donderdag ergens anders ook maar een flintertje kalkoen nemen, begrepen? Voor jullie valt het op vrijdag, punt uit.'

'En kalkoenworstjes, tellen die ook?' vroeg ik, want een bevel van mijn moeder was niet compleet voordat ik had geprobeerd eronderuit te komen. Niet dat ik van plan was kalkoenworstjes te eten, maar het ging om het principe. Ma reageerde met een blik waarvan de sla in de koelkast zou verleppen.

Ook kalkoenloos mee-eten bij vrienden werd ons ten strengste verboden – als we dat deden, zou ons eigen Thanksgivingdiner er maar een beetje achteraan hobbelen.

Ik was nog steeds aardig van slag door die doodgevallen wasberenbungelaar en Gunnars terminale bekentenis, en ik werd pas over een poosje in het restaurant verwacht.

Terwijl ik probeerde nog wat sport te kijken, begon ik onze kat Ichabod te aaien, die in hondenjaren eenennegentig was, al moet je me niet vragen hoe je dat omrekent naar kattenjaren. Maar Ichabod merkte dat ik er niet bij was met mijn hoofd. Hij slofte naar Christina's hamsterkooi en ging zitten staren naar de beestjes die eindeloos rondrenden in hun looprad. Het zal wel het kattenequivalent zijn van naar aan het spit draaiende kippen staren – iets waar mijn moeder me toen ik klein was op de markt geregeld mee zoet had gehouden.

Uiteindelijk vertrok ik veel te vroeg van huis, en ik wandelde via een lange omweg naar het restaurant. Terwijl ik het skateterrein passeerde, zag ik een eenzame gestalte bij het afgesloten hek zitten. Ik wist niet hoe hij heette; ik kende alleen zijn bijnaam. Vroeger had hij vaak een shirt aan gehad waar SKATERDUDE op stond, maar de E was eraf gevallen, en sindsdien ging hij door het leven als 'Skaterdud'. Net als ik met Antsy was hij eraan gewend geraakt, en iedereen was het erover eens dat zo'n sullige naam hem op het lijf was geschreven. Hij was slungelig, had een grote bos klitterig rood haar, roze vlekken op zijn ellebogen en knieën van de afgekrabde korstjes, en ogen waarvan je zou zweren dat ze alternatieve dimensies waarnamen – die niet allemaal even pluis waren. God sta de arme ouders bij die op een dag de deur opendoen voor het nieuwe vriendje van hun dochter en Skaterdud zien staan.

'Hé, Dud,' zei ik terwijl ik op hem af liep.

'Hé.' Hij gaf me zijn speciale achtdelige handdruk en weigerde verder te praten tot ik het helemaal goed deed.

'Niet aan de kalkoen?' vroeg ik.

Hij trok een grimas. 'Alsof ik het niet ga missen als ik geen dooie vogel te eten krijg, of wel soms?'

Skaterdud had zijn eigen taaltje vol dubbele, driedubbele en soms vierdubbele ontkenningen, dus je wist nooit of hij bedoelde wat hij zei, of juist het tegenovergestelde.

'Dus... je bent vega?' vroeg ik.

'Neuh.' Hij klopte op zijn buik. 'Heb de dode vogel al op. En jij?'

Ik haalde mijn schouders op, wilde er niet op ingaan. 'Dit jaar vieren we Chinees Thanksgiving.'

Hij trok veelbetekenend een wenkbrauw op. 'Het jaar van de geit. Fabeltastisch toch.'

'Hé,' vroeg ik, 'het terrein is toch de hele winter dicht? Zit je hier soms te wachten tot het voorjaar wordt?'

De Dud schudde zijn hoofd. 'Unibrow zou het vandaag open komen doen voor me. Maar ik zie nergens geen Unibrow, of jij wel soms?'

Ik ging zitten en leunde tegen het hek. Ik kon me in elk geval even door Skaterduds gebrabbel laten afleiden. Zoiets als Minesweeper spelen met een menselijk wezen. We raakten aan de praat over school, en het verbaasde me dat hij praktisch alles wist over het privéleven van zijn leraren. We hadden het over zijn lippiercing, die hij volgens hem genomen had om te stoppen met nagelbijten. Ik knikte alsof ik het verband begreep. En toen kwam het gesprek op Gunnar. Ik vertelde over Gunnars naderende dood, en hij keek omlaag, pulkend aan een loslatende doodshoofdsticker op zijn helm.

'Man, dat is stevig balen,' zei hij. 'Maar aan het noodlot helpt geen moedertje lief je niet, of niet soms? Voor iedereen is ergens een kuil uitgegraven.' Hij dacht even na. 'Gelukkig hoef ik me nergens geen zorgen over te maken, want ik weet op de dag af wanneer ik mijn wormenkuurtje ga volgen.'

'Hoe bedoel je?'

'Ja, ja,' zei de Dud. 'Ik weet exact wanneer ik het eindsignaal fluit. Van een waarzegster gehoord. Op mijn negenenveertigste maak ik een dodelijke val van een vliegdekschip.'

'Dat meen je niet!'

'Serieus. Daarom ga ik ook bij de marine. Want het zou nogal bizar zijn als je van een vliegdekschip dondert terwijl je daar niks te zoeken hebt.'

Daarmee duwde hij zich overeind en gooide zijn skateboard over het hek. 'Genoeg geluld.' Hij klom behendig als een gekko naar de andere kant en keek toen achterom. 'Kom je ook? Dan leer ik je trucs waar die andere gasten eerst hun botten voor moeten breken.'

'Ander keertje misschien. Leuk met je te praten.'

'Zie je.' Hij liep verder en verdween uit het zicht, en even later hoorde ik hem de spekglad bevroren schansen in en uit zoeven, zonder zich iets van het gevaar aan te trekken, omdat hij er vast van overtuigd was dat hem de komende vierendertig jaar niks kon gebeuren.

Hoewel ik ruim op tijd in het restaurant aankwam, kreeg ik het gevoel dat ik te laat was, want alles was al in volle gang. De meeste Thanksgivingreserveringen waren pas voor later in de middag, dus ze hadden niet verwacht dat het voor tweeën druk zou worden, en ze wilden niet dat ik maar een beetje zou rondhangen, want dat 'leidde gegarandeerd tot rampen'. Ze hadden alleen niet op zoveel spontane aanloop gerekend. Mijn vader rende rond als een kip zonder kop, en daar werd mijn moeder door aangestoken. Alleen mijn zusje Christina zat kalmpjes zwaantjes en eenhoorns van haar servetten te vouwen. Omdat pa zo'n softie is, had hij bijna al het personeel voor de feestdag vrijgegeven, wat betekende dat wij al het werk konden opknappen.

Je wordt al moe als je naar mijn vader kijkt. Hij is net zo'n bordenjongleur – hij moet alles tegelijk draaiend houden, overal tegelijk op letten. Misschien probeert hij zo te compenseren dat hij geen officiële horecaopleiding heeft, alleen een hoofd vol heerlijke recepten en een rijke, sikkeneurige ouwe zakenpartner die bereid is hem een kans te geven.

'De ouwe Crawley is niet snel tevreden,' had hij tegen me gezegd. Omdat ik vorig jaar zelf ook voor Crawley had gewerkt – onder meer als uitlater van zijn meute honden – wist ik als de beste hoe veeleisend hij was. Vroeger had mijn vader lange dagen gemaakt in een baan waar hij de pest aan had. Nu maakt hij nog langere dagen met werk waarvan hij geniet, maar hij komt nog net zo afgepeigerd thuis.

Hoe dan ook, toen pa me binnen zag stappen, maakte hij zich even los uit de hectiek om zijn arm om me heen te slaan en me een korte nekmassage te geven.

'Tapspieren paraat?' vroeg hij. Het was een grapje tussen ons tweeën dat hij altijd maakte omdat mijn schouders na mijn eerste paar dagen als hulpkelner compleet in de kramp waren geschoten. Wie had kunnen denken dat water inschenken zo zwaar kon zijn?

'Ja hoor,' zei ik.

'Mooi. Want er komt een tijd dat het een Olympisch onderdeel wordt, en dan verwacht ik niet minder dan een gouden plak van je.' Hij gaf me een schort, klopte me op de rug en ging weer verder.

Ik vind het prettig om hem eerder op de dag te zien, voordat hij door de stress verandert in wat we onderling 'Darth Menu' zijn gaan noemen.

Al snel werd ik in beslag genomen door het water inschenken en het afruimen van vuile vaat, maar de gedachten aan de gedoemde wasberenbungelaar en aan Gunnar bleven zich opdringen.

Tegen zessen waren we al bezig met onze tweede ploeg eters, en ik werd een beetje prikkelbaar omdat ik almaar met borden rondliep zonder dat ik zelf iets mocht nemen. Mijn ouders waren allebei met fantastische Thanksgivingrecepten op de proppen gekomen die aansloten bij het Frans/Italiaanse thema van het restaurant. *Pompoenquiche parmigiano* en *rollatini van kalkoen au vin* – dat soort dingen. Ik kreeg zo'n honger dat ik af en toe stiekem een restje in mijn mond stak, wat me een mep voor mijn kop opleverde toen ma het zag. Het uitgedunde groepje personeel kreeg om de zoveel uur pauze, maar wij werden als slaven afgebeuld, en ik begon steeds humeuriger te worden.

Terwijl ik heen en weer holde met water en servies ergerde ik me eraan dat iedereen hier zich maar vol zat te proppen, zonder te malen om de pechvogel die dood was gevallen omdat hij zijn ballon niet bijtijds had losgelaten. En dan had ik het nog niet eens over Gunnar. Hoe konden al die mensen hier rustig zitten te eten terwijl hij leed aan pulmohoeheetttehetookweer?

Op dat moment gebeurde het. Het glas dat ik stond in te schenken, liep over. Zodra ik het merkte, trok ik met een ruk mijn arm terug, en daardoor klotsten de ijsklontjes uit de karaf, zo op het volle bord van de gast.

'Oeps!' Ik begon ze als een bezetene met mijn blote vingers uit haar *bataatpuree knofloque* te plukken.

'ANTSY!'

Zoals ik al zei, mijn vader zag alles wat er in de zaak gebeurde, en ik was op heterdaad betrapt. Of op kouderdaad, als het ware.

'Waar ben jij mee bezig?!'

'Ik... ik heb wat gemorst. Ik wilde alleen –'

'Het geeft niet, hoor,' zei de vrouw. 'Niets aan de hand.'

Maar daar vergiste ze zich in.

'Mijn excuses,' zei pa. 'Dit is heel vervelend. U krijgt meteen een nieuwe portie, en u eet vanavond op onze kosten.'

Inmiddels stonden mijn moeder en een andere serveerster de overstroming op te deppen. Mijn vader duwde me het verzopen gerecht in handen en wees naar de keuken. 'Wegbrengen en op mij wachten.'

Hij bood de klant nog een keer zijn verontschuldigingen aan, en misschien zelfs een derde keer. Ik weet het niet, want ik was de klapdeuren al door en stond in afwachting van het strafproces het bord schoon te vegen.

Toen hij een paar tellen later kwam binnenstormen, sloegen de zwaveldampen uit zijn oren. Ik besefte dat hij voor vandaag al was opgebrand en was overgegaan naar de schaduwzijde.

'Ongelooflijk wat jij daar flikt! Waar zit je met je harses?'

'Pa, het was maar een beetje water! Ik heb toch sorry gezegd!'

'Maar een beetje wáter? Je zat met je tengels in haar eten! Weet je wel hoeveel hygiëneregels je hebt overtreden?'

Ik wil best toegeven dat ik een standje had verdiend, maar hij was helemaal buiten zinnen.

Mijn moeder stak haar hoofd de keuken in en siste op een fluistertoon die harder was dan het geschreeuw van de meeste anderen: 'Maak niet zo'n herrie! De hele zaak kan jullie horen!'

Maar hij was niet meer voor rede vatbaar. 'Heb je dan helemaal geen verantwoordelijkheidsbesef?'

'Nou, misschien had ik wel iets anders aan mijn hoofd!'

'Nee, nee, nee! Wanneer je hier bent, mag je niks anders aan je hoofd hebben!'

'Waarom ontsla je me dan niet gewoon?' riep ik. 'O nee, wacht, dat kan niet – want officieel werk ik hier niet eens, hè?'

'Weet je wat, Antsy? Donder jij maar op!'

'Mij best!' snauwde ik, en als klap op de vuurpijl stak ik mijn wijsvinger in de grote pan met *bataatpuree knofloque* en likte hem voor zijn neus af.

Het was al lang donker, en het vroor buiten dat het kraakte. Ik hoopte dat ik thuis gezelschap zou hebben van mijn broer Frankie, want die was voor het weekend teruggekomen vanuit Binghamton, maar hij bleek met vrienden op stap te zijn, dus het enige dat ik kon doen was in mijn eentje zitten broeien.

Rond halfnegen ging de telefoon. Het was de ouwe Crawley, die een groter aandeel van onze zaak in bezit had dan wijzelf. Opgebeld worden door Crawley was nog veel erger dan uitgekafferd worden door pa.

'Ik begrijp dat de bediening er vanavond een puinhoop van heeft gemaakt,' zei hij.

'Hebt u dat van mijn vader gehoord?'

'Ik heb je vader niet gesproken. Er zat een waarnemer van me in de zaak.'

'U stuurt spionnen naar uw eigen restaurant?'

'Spionage is een veelgebruikt instrument in de zakenwereld.'

'Tegen je eigen bedrijf?'

'Blijkbaar is het noodzakelijk.'

Ik zuchtte. Die vent had werkelijk overal ogen. Het zou me niet verbazen als hij nu ineens zei dat ik niet in mijn neus mocht peuteren.

Voor het geval je net onder een steen vandaan bent gekropen, zal ik je even over ouwe Crawley vertellen, de hoogbejaarde chagrijn waar alle kleine kinderen in Brooklyn voor sidderen. Bij ons in de buurt is hij een legende – het soort legende dat ongeloofwaardig lijkt, tot je hem een keer tegenkomt, en dan is het te laat om te vluchten. Hij is ontzettend rijk, ontzettend egoïstisch en ontzettend gemeen. Zo'n type dat met Halloween snoep uitdeelt met braakmiddel erin, en dan aan de overkant van de straat tegen woekerprijzen pilletjes tegen de misselijkheid gaat staan verkopen.

Ik ben een van de weinigen die hem persoonlijk kennen, want hij komt praktisch de deur niet uit. Hij had een kluizenaarsbestaan geleid, totdat hij mij had ingehuurd om zijn honden uit te laten en met zijn kleindochter op te trekken. Lexie is blind, maar bij haar lijkt dat mankement niet meer dan een technisch detail. Tot Crawleys afschuw had het direct geklikt tussen Lexie en mij, dus met haar omgaan was helemaal niet zo'n opgave geweest. Op een dag hadden we haar opa ontvoerd om hem te dwingen eens naar de buitenwereld te kijken. Hij had het zo prachtig gevonden dat hij zich tegenwoordig met regelmatige tussenpozen door ons laat kidnappen.

Het maffe is dat ik hem ergens best mag. Misschien omdat ik hem wel begrijp – of misschien omdat ik de enige ben die hem in zijn gezicht voor sikkeneurige ouwe zak kan uitmaken en er ongestraft mee wegkom. Ik zal niet beweren dat Crawley en ik dikke vrienden zijn, maar hij heeft een minder grote hekel aan mij dan aan de meeste andere mensen. Al blijft de grens tussen tolerantie en afkeer bij hem flinterdun.

'Als jij me zelf uit de doeken doet wat er precies is gebeurd, hoef ik je vader er wellicht niet naar te vragen,' zei hij.

Het had geen zin Crawley voor te liegen of het mooier voor te stellen dan het was, dus ik vertelde zo eerlijk en eenvoudig mogelijk wat er was voorgevallen. 'Ik heb water gemorst op het bord van een klant en toen de ijsklontjes uit haar eten geplukt, dus mijn vader moest haar een gratis maaltijd geven. Hij heeft mij weggestuurd.'

Een lange stilte aan de andere kant van de lijn. Op de achtergrond hoorde ik honden blaffen, en toen zei hij: 'Anthony, ik sta ervan versteld dat je me telkens weer zo teleur weet te stellen.' En zonder ook maar gedag te zeggen hing hij op.

Mijn moeder kwam tegen tienen binnen, met Christina half ingedommeld tegen zich aan. Ik wist dat mijn vader pas over twaalven thuis zou zijn. Vroeger werd het nooit sinds hij het restaurant had geopend. Vanavond vond ik het alleen niet zo erg als anders.

Zodra ma Christina naar bed had gebracht stapte ze bij mij binnen. 'Antsy, je moet begrijpen dat je vader onder grote druk staat.'

'Ja, nou ja, dat hoeft hij niet op mij af te reageren.'

'Zo bedoelde hij het ook niet.'

'Bla, bla, bla.'

Ze liet zich op de rand van mijn bed zakken. 'De zaak loopt niet zo goed als hij zou willen. Mr. Crawley dreigt constant om de stekker eruit te trekken.'

Ik ging overeind zitten, en voordat ze de Top Tien Van Redenen Waarom Ik Mijn Vader Moest Ontzien kon opdreunen, zei ik: 'Ik snap het best, ma, maar daarom hoef ik het nog niet leuk te vinden, oké?'

Ze klopte op mijn been en liep gerustgesteld weer weg.

Toen pa tegen middernacht arriveerde, kwam hij nog even mijn kamer in. Nog voordat hij zijn mond had opengedaan, merkte ik dat Darth Menu de aftocht had geblazen.

'Alles in orde?' vroeg hij.

Omdat ik daar geen beknopt antwoord op wist, zei ik alleen maar: 'Het gaat zijn gangetje.'

'En?' vroeg hij met een scheef lachje. 'Smaakte die bataatpuree een beetje?'

Ik wist dat dat zijn manier was om zijn excuses aan te bieden.

'Ja, hij was lekker,' antwoordde ik. 'Alles wat jij maakt is lekker.'

Hij wist dat dat mijn manier was om zijn excuses te aanvaarden.

'Welterusten, Antsy.'

Toen hij weer weg was, zette ik mijn tv uit en probeerde de slaap te vatten. Terwijl ik afdaalde naar het niveau waarop je gedachten in scherven beginnen te breken en er geen logica meer in zit, vermengden de gebeurtenissen van die dag zich tot een brij van wasberen, ijswater en terminale ziektes. Zoals Gunnar had gezegd, het leven is kwetsbaar. Het ene moment loop je opgewekt in een fanfare, en het volgende bungel je aan het Empire State Building. Soms ligt het aan de beslissingen die je neemt, soms let je gewoon niet op, maar meestal is het een kwestie van het noodlot, ofwel van domme pech – en in mijn ervaring bestaat er maar weinig dat dommer is dan pech, behalve misschien Wendell Tiggor, wiens hersencellen communiceren door middel van rooksignalen.

Het lot zou nog heel wat rare sprongen gaan maken. Ik had nooit kunnen bedenken hoe zoiets simpels als een karaf ijswater iemands leven kon beïnvloeden... of hoe een A4'tje het verloop van een ongeneeslijke aandoening kon veranderen.

Systemische pulmonale monoxie. Zeer zeldzaam. Zeer dodelijk. Het komt erop neer dat het lichaam, dat zuurstof in kooldioxide hoort om te zetten, het in plaats daarvan omzet in koolmonoxide – dat spul in uitlaatgassen waar je van stikt als je het maar lang genoeg inhaleert. Met andere woorden, als je systemische pulmonale monoxie hebt, is je katalysator kaduuk, en word je uiteindelijk vergiftigd door de lucht die je inademt. Ik denk dat ik nog liever vanaf een gigantische opblaaswasbeer de diepte in zou storten.

Mensen reageren verschillend als een bekende van ze een ingewikkelde, niet te behandelen ziekte blijkt te hebben. Het hangt ervan af wat voor type je bent, en er zijn grofweg drie types.

Type een: de 'dat-heb-ik-niet-gehoord'-soort. Dat zijn degenen die gewoon doorgaan waarmee ze bezig zijn, die doen alsof er niks loos is. Dat zijn degenen die tijdens een invasie van buitenaardse wezens bij Starbucks achter hun koffie blijven zitten steggelen over welke zoetstof de meest natuurlijke suikersmaak heeft. Je kent ze wel. We kennen er allemaal wel zo eentje.

Type twee: de 'daar-moet-ik-niks-van-hebben'-soort. Dat zijn degenen die denken dat alles besmettelijk is en die waarschijnlijk al antibiotica gaan slikken als hun computer een virus heeft. Dat zijn degenen die de terminaal zieke angstvallig vermijden, om vervolgens wanneer hij eenmaal het hoekje om is te zeggen: 'Hadden we hem maar wat langer bij ons mogen houden.'

Type drie: de 'dat-fiksen-we-wel-even'-soort. Dat zijn degenen die tegen alle redelijkheid in geloven dat ze de bedding van een machtige rivier met hun blote handen kunnen verleggen, ook al kunnen ze voor geen meter zwemmen, zodat ze meestal verzuipen.

Ik kom uit een geslacht van fiksers/verzuipers.

Blijkbaar houd ik de familietraditie in ere, want ook al kon ik

Gunnars kwaal nauwelijks uitspreken, ik was ervan overtuigd dat ik hem op de een of andere manier kon helpen om zijn leven te rekken. Tegen de tijd dat ik die maandag naar school ging, had ik al besloten dat ik iets Van Betekenis voor hem wilde doen. Ik wist niet wat, alleen dat het Van Betekenis moest zijn. Voor alle duidelijkheid: dit was voordat ik Kjersten had leren kennen, dus mijn bedoelingen waren nog niet gekleurd door eigenbelang. Mijn motief was wat ze 'altruïstisch' noemen, wat wil zeggen dat je zonder zinnige reden een goede daad verricht – en dingen doen zonder zinnige reden is min of meer mijn levensmotto.

Ik wist dat ik er alleen voor stond om hier iets op te verzinnen – in elk geval zou ik thuis geen hulp vragen. Er met mijn vader over praten was uitgesloten, want zijn geestelijke klankbord was volledig overwoekerd door tafelreserveringen. Aan mijn moeder kon ik het ook niet vertellen, want als ik dat deed, zou ze zo'n gekwelde uitdrukking op haar gezicht krijgen en gaan zeuren dat ik moest bidden voor Gunnar. Op zich wilde ik best voor Gunnar bidden, maar dat zou ik strategisch aanpakken. Ik zou het pas doen wanneer hij op zijn sterfbed lag, want als je het mij vraagt is bidden net zoiets als hopen op een Oscar; je mag er niet te vroeg mee beginnen, want dan word je vergeten wanneer de nominaties bekend worden gemaakt.

Ik overwoog het aan Frankie of Christina voor te leggen, maar mijn broer zou vast proberen me te overtroeven met verhalen over kennissen van hemzelf die waren overleden. En wat Christina betrof, haar hiermee traumatiseren ging nog een stapje verder dan haar wijsmaken dat onze kelder was afgegrendeld omdat er zombies in zaten. Trouwens, wie vraagt zijn kleine zusje nou om raad? Al moet ik toegeven dat ze aanleg heeft voor spiritualiteit. De laatste tijd heb ik haar zelfs een paar keer in lotushouding in haar kamer aangetroffen terwijl ze probeerde op te stijgen. Ze had ergens gelezen over monniken in de Himalaya, die door onophoudelijk mantra's te herhalen uiteindelijk loskomen van de grond. Ik sta overal voor open, maar ik heb wel tegen haar gezegd dat haar 'Ikke Gaha Omhohowoog' eerder klonk als iets uit Harry Potter dan uit Tibet.

Nee, voor de anderen moest deze hele toestand maar een poosje onder de radar blijven.

Maar op school bleef er weinig onder de radar. Het kon zijn dat Howie of Ira het bij het Empire State Building hadden opgevangen – of misschien had Gunnar het ook aan een geselecteerd groepje andere leerlingen toevertrouwd. Wat de oorzaak ook was, die maandag liep iedereen over Gunnars korte levensverwachting te smoezen.

Bij Engels moesten we ons in clubjes inschrijven voor de John Steinbeck-literatuurkring. Kennelijk was *Of Mice and Men* slechts een voorlopertje van heel veel meer leeswerk. Ik kwam een paar minuten te laat binnen, en alle dunne boeken zoals *The Red Pony* waren al vergeven. Wat er nog lag waren de vuistdikke pillen *The Grapes of Wrath* en *East of Eden*.

Gunnar en ik zaten bij dit vak in dezelfde klas, en ik zag dat hij *The Grapes of Wrath* had gekozen. *Cannery Row* was opgeëist door Wendell Tiggor en de tiggoroïden – zo hadden we de menselijke motten gedoopt die rond Tiggors zwakke schijnsel fladderden. Ik heb mezelf aangeleerd me nooit bij een groepje aan te sluiten waarvan ik de slimste deelnemer zou zijn, dus ik zette mijn naam onder die van Gunnar en hoopte maar dat het volume van *The Grapes of Wrath* los stond van de moeilijkheidsgraad. In elk geval zou ik nu de kans krijgen Gunnar wat beter te leren kennen en uit te dokteren hoe ik iets Van Betekenis voor hem zou kunnen doen.

Na de les kwam hij naar me toe. 'Ik zie dat we allebei bij *The Grapes* zitten,' zei hij. 'Ik heb thuis de dvd. Als je na school bij me langskomt, kunnen we er even naar kijken.'

Uitgerekend op dat moment liep Mrs. Casey, onze lerares, voorbij. 'Geen gesjoemel, Mr. Ümlaut,' zei ze.

'Nee hoor,' sprong ik er heel ad rem tussen, 'het is vooronderzoek.'

Ze dacht even na en trok een wenkbrauw op. 'In dat geval mogen jullie tweeën het boek en de film naast elkaar leggen en een vergelijking presenteren.' Daarmee paradeerde ze zelfvoldaan verder.

Gunnar zuchtte. 'Sorry.'

Ik boog me naar hem toe en fluisterde: 'Maakt niet uit – volgens mij heeft mijn broer er nog uittreksels van liggen.'

Waarop Mrs. Casey vanaf het andere einde van de gang over haar schouder riep: 'Als je het maar uit je hoofd laat!'

Binnenkomen bij iemand die je net kent is altijd een avontuur van vreemde geuren, vreemde aanblikken en vreemde honden die ofwel naar je blaffen ofwel je besnuffelen op plekken waar je liever niet wordt besnuffeld. Al hebben onontgonnen huizen ook interessante punten, zoals een enorme bak met Chinese waterhagedissen, of een dvd-installatie die beter is dan die in de bioscoop, of een godin die de deur opendoet.

Bij de Ümlauts was het derde het geval: de godin. Ze heette Kjersten, wat je uitspreekt als 'Kirsten' (de j is een stomme letter – vraag me niet hoe dat zit) en ze was wel de laatste die ik bij Gunnar had verwacht. Kjersten zit een paar klassen hoger en bevindt zich op een niveau ver boven dat van ons stervelingen – en niet alleen door haar lengte. Ze past niet in het vakje van doorsnee knap meisje. Ze is geen cheerleader, ze hoort niet bij de populaire kliek – de populaire kliek heeft zelfs een hekel aan haar, omdat haar aanwezigheid benadrukt hoe sneu ze eigenlijk zijn. Ze haalt voorbeeldige cijfers, is leidster van de debatclub, zit in de tennisploeg, is ruim één tachtig lang, en wat andere onderdelen van haar aangaat, nou ja, laten we het erop houden dat de tekst op haar T-shirt eruitziet als in die 3D-films.

'Hallo, Antsy,' zei ze.

Mijn reactie was een perfecte imitatie van Porky Pig. 'Ibbidibib-bibie-dibbitie…' Het feit dat Kjersten van mijn bestaan wist, was te veel om in een keer te verwerken.

Ze stootte een lachje uit. 'NeuroToxin,' zei ze.

'Huh?'

'Je stond naar mijn shirt te kijken.' Ze wees naar het logo op haar borst. 'Van NeuroToxin, de band. Vorige maand bij hun concert gekocht.'

'Ja, ja, oké.' Mijn ogen waren dan wel vastgekleefd aan een plek op die hoogte, maar mijn hersens hadden alles tussen haar hals en haar navel veranderd in zo'n digitale vlek die ze op tv gebruiken om iemand onherkenbaar te maken. Al hadden de antwoorden op de wiskundeoverhoring van morgen op haar shirt gestaan, ik had ze niet kunnen lezen.

'Wat doe jij hier?' vroeg ik als een volslagen debiel.

Ze keek me raar aan. 'Waar zou ik anders moeten zijn? Ik woon hier.'

'Waarom woon je bij de Ümlauts?'

Ze lachte weer. 'Eh… omdat ik een Ümlaut ben misschien?'

Mijn brein hing ergens tussen de aarde en Jupiter, en pas nu drong het tot me door. 'Ben jij Gunnars zus?'

'Voor zover ik weet wel, ja.'

Het was nooit in me opgekomen dat Kjersten familie kon zijn van iemand die ik kende. Ik onderdrukte een nieuwe golf Porky Pig-geluiden, slikte en vroeg: 'Mag ik verder komen?'

'Ja hoor.' Ze riep naar Gunnar dat ik er was. Ik kreeg een rilling toen ze mijn naam weer zei en hoopte dat het haar niet opviel.

Er kwam geen antwoord van Gunnar – het enige dat ik hoorde was een vaag, scherp getik.

'Hij is in de achtertuin bezig met dat geval van hem,' zei Kjersten. 'Loop maar door, via de keuken kun je eruit.'

'Bedankt.' Ik probeerde niet naar welk lichaamsdeel dan ook te staren terwijl ik voor haar langs naar binnen stapte.

Hun moeder stond in de keuken achter de gootsteen – een oudere, molligere versie van Kjersten. Ze keek op van de groenten die ze aan het spoelen was.

'Hallo,' zei ze. 'Jij bent zeker een vriend van Gunnar? Blijf je mee-eten?'

Haar accent was veel zwaarder dan ik had verwacht, want aan Gunnar en zijn zus hoorde je nauwelijks iets.

Mee-eten? Dat zou betekenen dat ik aan dezelfde tafel zou zitten als Kjersten. Bij die gedachte schalde meteen de stem van mijn eigen moeder door mijn hoofd, die riep dat ik als een orang-oetank met mijn bestek omging. Ik zei dan altijd dat orang-oetan geen k aan het eind had en bleef doorgaan mezelf als een lagere aapsoort vol te proppen. Bij mijn vorige vriendinnetje hadden mijn tafelmanieren er niet toe gedaan, want Lexie is blind. Ze kon er alleen niet tegen als ik met mijn vork langs mijn tanden schraapte, en dus had ik zo beestachtig kunnen eten als ik wilde, zolang ik het maar zonder kabaal deed.

Door mijn eigenwijsheid had ik nu alleen geen flauw benul van de etiquette. Eén blik op het gehannes met mijn mes en vork, en Kjersten zou het uitgieren, om de informatie vervolgens door te spelen aan de andere hoogontwikkelde soorten in haar biotoop.

Als ik hier nog veel langer over bleef staan dubben, zou ik óf mezelf ervan overtuigen dat ik het niet moest doen, óf mijn schedel zou ontploffen, dus ik zei: 'Ja, ik blijf graag mee-eten.' De gevolgen waren van later zorg.

'Antsy, ben jij dat?' hoorde ik Gunnar roepen vanuit de achtertuin, waar het harde tikken vandaan kwam.

Hij bleek inderdaad bezig aan een 'geval'. In eerste instantie vroeg ik me af of het iets was voor ons *Grapes of Wrath*-project. Het was een stenen sculptuur. Graniet of marmer, leek me. Hij stond er driftig met een hamer en beitel op in te hakken. Erg ver was hij niet, want het blok was nog zo goed als vierkant. 'Ha, Gunnar,' zei ik. 'Ik wist niet dat je kunstenaar was.'

'Ik ook niet.'

Hij bleef doorslaan. Langs de rand van het blok zaten drie ongelijkmatige letters. *G-U-N*. Hij was net begonnen aan de tweede *N*. Ik lachte. 'Je moet een beeld pas signeren als het af is, Gunnar.'

'Het wordt geen beeld.'

Het duurde even voordat ik de grote lijnen zag, en zodra het tot me doordrong wat hij aan het doen was, flapte ik er een woord uit waarvoor mijn moeder me een hijs zou verkopen.

Gunnar stond zijn eigen grafsteen te houwen.

'Gunnar, nee... dat *deugt* niet.'

Hij stapte achteruit om zijn werk te bewonderen. 'Oké, de letters staan wat scheef, maar dat draagt bij aan het algehele effect.'

'Dat bedoel ik niet.'

Hij nam me op, zag de vermoedelijk nogal akelige uitdrukking op mijn gezicht en zei: 'Je doet al net als mijn ouders. Het is een ongezonde houding. Wist je dat de farao's in het oude Egypte al op jonge leeftijd hun eigen graf begonnen te ontwerpen?'

'Ja, maar jij bent Zweeds,' bracht ik hem in herinnering. 'In Zweden heb je geen piramides.'

Hij maakte de tweede *N* af. 'Alleen maar omdat de Vikingen niet zulke bouwers waren.'

Ik merkte dat ik onwillekeurig om me heen zocht naar een vluchtroute, en ik vroeg me af of ik misschien toch een 'daar-wil-ik-niks-mee-te-maken-hebben'-type was.

Nu begon hij uit te pakken met verhalen over de dood door de geschiedenis heen, bijvoorbeeld dat ze op Borneo hun overleden dierbaren in grote aardewerken potten stopten die ze in de woonkamer neerzetten, wat nog griezeliger was dan alles wat ik mijn zusje over onze kelder had wijsgemaakt. Ik werd er helemaal misselijk van, en toen zijn moeder riep dat het eten klaar was, bad ik dat ze het niet in keramische ovenschalen op zou dienen.

'Geleende tijd, Antsy,' zei Gunnar. 'Ik leef in geleende tijd.'

Ik ergerde me aan die opmerking, want hij leefde niet in geleende tijd, hij leefde in zijn eigen tijd, in elk geval nog voor zes maanden, en ik kon wel iets beters bedenken om met die tijd te doen dan je eigen grafsteen beitelen. 'Hou toch eens op!' snauwde ik tegen hem.

Hij keek me gekwetst aan. 'Juist van jou had ik verwacht dat je het tenminste zou begrijpen.'

'Hoezo "juist van mij"? Weet jij iets wat ik niet weet?'

We keken allebei weg, en hij zei: 'Die vent laatst... die aan Roadkyll Raccoon hing... toen hij naar beneden viel... iedereen stond zich te vergapen alsof het een circusoptreden was, maar jij en ik...

wij hadden genoeg respect om de andere kant op te kijken. Dus ik dacht dat je voor mij ook respect zou hebben.' Hij blikte naar het steenblok voor hem. 'En hiervoor.'

Ik had hem niet willen beledigen, maar het was lastig respect op te brengen voor een zelfgemaakte grafsteen. 'Ik weet het niet, hoor, Gunnar,' zei ik. 'Je maakt er zo'n Hamlet-achtige toestand van. Ik zweer het, als je hier begint rond te lopen met een schedel en "te zijn of niet te zijn" gaat mompelen, ben ik weg.'

Hij keek me kil aan en zei verontwaardigd: 'Hamlet kwam uit Denemarken, niet uit Zweden.'

Ik haalde mijn schouders op. 'Eén pot nat.'

Waarop hij zei: 'Mijn huis uit.'

Maar omdat we in de achtertuin stonden, en niet bij hem binnen, bleef ik staan. Hij maakte geen aanstalten me met geweld af te voeren, dus kennelijk blufte hij. Ik keek naar dat stomme blok waarop in scheve letters *GUNN* stond. Hij was alweer verdergegaan met beitelen. Het viel me op dat hij wat zwaarder ademde dan daarnet, en ik vroeg me af of dat normaal was, of dat hij het benauwd had door zijn ziekte. Ik had de aandoening opgezocht op internet. De symptomen van systemische pulmonale monoxie bleven praktisch onopgemerkt, tot in het eindstadium. Dan werden je lippen cyanotisch – wat betekent dat ze blauw worden, zoals wanneer je in een zwembad ligt van iemand die te krenterig is om het water te verwarmen. Gunnars lippen waren nog roze, maar zijn gezicht zag wel bleek, en hij werd af en toe duizelig en licht in zijn hoofd. Dat waren ook symptomen. Hoe meer ik erover nadacht, hoe meer spijt ik ervan kreeg dat ik zo ongevoelig had gedaan.

In een opwelling stak ik mijn hand in mijn rugzak, viste er een pen en notitieboekje uit en begon te schrijven.

'Wat ben je aan het doen?'

'Dat zie je zo wel.'

Toen ik klaar was, scheurde ik het velletje los, hield het omhoog en las het hardop voor. 'Hierbij schenk ik één maand van mijn leven aan Gunnar Ümlaut. Was getekend, Anthony Bonano.' Ik gaf het aan hem. 'Hier. Nu heb je echt geleende tijd. Zeven maanden in plaats van zes – dus je hoeft voorlopig je eigen graf nog niet te graven.'

Gunnar pakte het van me aan, bekeek het en zei: 'Dit is niks waard.'

Ik verwachtte dat hij een of andere Shakespeariaanse preek zou afsteken over de smarten van de sterfelijkheid, maar in plaats daarvan wees hij naar mijn naam en zei: 'Er staat geen handtekening van een getuige bij. Een overeenkomst is pas rechtsgeldig als hij is ondertekend door een getuige.'

Ik dacht dat hij een geintje maakte, maar ik zag hem niet lachen. 'Een getuige?' herhaalde ik.

'Ja. Het moet uitgetikt worden en met blauwe inkt ondertekend. Mijn vader is advocaat, dus ik heb er verstand van.'

Ik kon nog steeds niet inschatten of hij het serieus bedoelde of niet. Meestal heb ik mensen wel door, maar Gunnar was – omdat hij Zweeds was en zo – even moeilijk te doorgronden als de montagehandleidingen van IKEA; ik mocht dan nog zo denken dat ik het had begrepen, ik had gegarandeerd iets verkeerd gelezen en zou weer van voren af aan kunnen beginnen.

Omdat zijn uitdrukking ernstig bleef, verzon ik iets wat juridisch klonk. 'Ik zal het in beraad nemen.'

Hij grijnsde en gaf me een harde klap op mijn rug. 'Uitstekend. Dan gaan we nu eten en naar *The Grapes of Wrath* kijken.'

Er was voor vijf personen gedekt – ook voor Mr. Ümlaut, die vermoedelijk tot laat doorwerkte maar 'op den duur' wel thuis zou komen. Hoewel ik een Scandinavisch gerecht had verwacht, bleek Mrs. Ümlaut hamburgers te hebben gemaakt. Ik kende de Scandinavische keuken doordat we een keer per ongeluk in een Noors smorgasbordtentje terecht waren gekomen. Het heette Dønny's, en mijn ouders hadden de ø voor een e aangezien. Hoe dan ook, op het afgeladen buffet hadden onder meer veertienduizend soorten haring gestaan – waar ik met een grote boog omheen was gelopen, maar het was bevredigend geweest om te weten dat ik zo veel keuze had om te weigeren. Merkwaardig genoeg was ik nu teleurgesteld dat er bij de Ümlauts geen enkele vorm van haring op het menu stond.

De maaltijd werd niet de zenuwslopende beproeving die ik voor ogen had gehad. Niemand praatte over Gunnars ziekte, en ik maakte geen al te stomme opmerkingen. Ik vertelde hoe je het bestek hoort neer te leggen en wat de culturele redenen daarachter waren – iets wat mijn vader er bij me had ingehamerd omdat ik in het restaurant de tafels moest dekken. Daardoor kwam ik heel wereldwijs over, en dat compenseerde eventuele submenselijke dingen die ik had kunnen uithalen. Ik gaf zelfs een demonstratie van mijn waterschenkvaardigheden, door van hoog boven de glazen te mikken en in te schenken zonder een druppeltje te morsen. Kjersten moest erom lachen, en ik was er vrij zeker van dat ze me *toe*lachte en niet *uit*lachte – hoewel ik daar later toch weer over begon te twijfelen.

Toen ik uiteindelijk vertrok was Mr. Ümlaut er nog steeds niet, maar omdat mijn eigen vader tegenwoordig ook zo vaak overwerkte, vond ik daar niets vreemds aan.

Mijn vader kwam die avond eerder thuis met een knallende hoofdpijn. Halftien, dat is vroeg naar restaurantmaatstaven. Hij ging met zijn laptop aan de keukentafel met cijfers zitten goochelen. Het halve scherm lichtte rood op.

'Als je wilt kun je de instellingen veranderen,' stelde ik voor. 'Dan worden alle negatieve bedragen groen, of in elk geval blauw.'

Hij moest erom grinniken. 'Zouden we de boel ook zo kunnen programmeren dat de bank ons onze hypotheek kwijtscheldt?'

'Daar heb je een hippere laptop voor nodig.'

'Het zal me ook eens meezitten,' zei hij.

Even overwoog ik hem over Gunnar te vertellen, maar hij had al genoeg kopzorgen. 'Werk niet te hard,' zei ik tegen hem – wat hij ook vaak tegen mij zei. Al zei hij het voornamelijk wanneer ik als een langzaam uitdrogend knolgewas op de bank lag.

Voordat ik naar bed ging, liet ik de bizarre gebeurtenissen in Gunnars achtertuin nog eens aan me voorbijkomen – vooral zijn reactie toen ik hem dat velletje papier had gegeven. Ik had het gewoon geschreven om hem aan het lachen te maken, om hem even af te leiden van zijn dood en alles. Had hij het daadwerkelijk serieus opgevat?

Op mijn computer opende ik een nieuw document, en ik tikte een zin. Vervolgens riep ik de thesaurus op, veranderde wat sleutelbegrippen, koos een heel officieel uitziend lettertype, zette de tekst in een dun kader en drukte hem af.

Hierbij verklaar ik, Anthony Paul Bonano, in volle tegenwoordigheid van geest, een maand van mijn leven te vermaken aan Gunnar Ümlaut.

Handtekening

Handtekening van getuige

Ik zal eerlijk zijn: ik had het bijna niet ondertekend. Het scheelde weinig of ik had het verfrommeld en in de prullenbak gegooid, want ik kreeg er de rillingen van. Op zich ben ik niet zo bijgelovig aangelegd... maar ik heb van die vlagen. Die hebben we allemaal wel eens. Je loopt bijvoorbeeld over straat, en dan dringt ineens dat oude fabeltje zich op, dat het ongeluk brengt als je op de voegen tussen de stoeptegels stapt. Geef maar toe, ook jij vermijdt dan – in elk geval een paar passen lang – die voegen. Natuurlijk geloof je niet dat je moeder anders haar nek zal breken of zoiets, maar voor alle zekerheid zet je je voeten er toch maar niet op. En als iemand niest, zeg je 'gezondheid'. Ook al doe je dat niet om de kwade geesten te verjagen – daarom werd het in vervlogen tijden gezegd – je krijgt toch een raar gevoel als je het niet doet.

Dus daar zat ik naar dat heel officieel uitziende vel papier te staren, en ik vroeg me af wat de consequenties waren als ik schriftelijk afstand deed van een maand van mijn leven. Als dit een wettig contract was, als mijn tegoed ergens in het Grote Onbekende werd bijgehouden, zou ik het dan toch nog doen, Gunnar een extra maand geven?

Ja, natuurlijk wel.

Daar hoefde ik niet eens over na te denken.

Ik verdrong de niet-op-de-voegen-stappen-kriebels, pakte een blauwe pen en zette mijn handtekening.

De volgende ochtend liet ik Ira tijdens de eerste les als getuige tekenen.

En toen begonnen er heel rare dingen te gebeuren.

Ik heb in mijn leven maar heel weinig dingen gedaan die van ware bezieling getuigen. Zoals die keer dat ik iedereen van school had ge-e-maild dat Howie zijn broek achterstevoren aan had. Nadat tientallen leerlingen hem apart hadden genomen om hem daarop te wijzen, gaf hij eindelijk toe aan de groepsdruk, verdween naar het toilet en kwam terug met zijn gulp op zijn billen, zodat zijn broek daadwerkelijk achterstevoren zat.

Dat getuigde van bezieling.

Gunnar een maand van mijn leven geven – ook dat was ware bezieling. Het probleem met bezieling is alleen dat het een soort griep is – is er eenmaal iemand mee besmet, dan verspreidt het zich verder en verder, totdat al snel iedereen een verstopte neus heeft en grote klodders bezieling ophoest. Het overkomt je of je het wilt of niet, en er bestaat geen vaccin tegen.

Tussen het derde en vierde lesuur spoorde ik Gunnar op in de gang om hem zijn extra maand te overhandigen, officieel ondertekend door mij en een getuige.

Hij las de verklaring en keek me aan met een blik waarmee je in het openbaar niet door een jongen wilt worden aangekeken.

'Antsy,' zei hij, 'ik kan niet onder woorden brengen wat ik hierbij voel.'

Dat was maar beter ook, want van die woorden was ik misschien pijnlijk emotioneel geworden, en dat zou als een magneet werken op schoolfotograaf Dewey Lopez, die berucht is om het publiceren van ontroerende beelden. Zoals die keer dat hij onze footballheld Woody Wilson had betrapt, die in de kleedkamer de ogen uit zijn kop had staan janken, zogenaamd omdat ze dat seizoen voor het eerst verloren hadden. In werkelijkheid had hij staan grienen omdat hij een dreun tegen zijn kastje had gegeven en drie knokkels had gebroken, maar dat herinnert niemand zich meer – alleen die foto is ze bijgebleven. Vandaar dat hij sindsdien de reputatie heeft van een enorme huilebalk.

Dus daar stonden we, Gunnar en ik, helemaal rijp voor een gênant Kodakmoment, en hij vond alsnog de woorden waarvan ik had gehoopt dat ze voorgoed zoek zouden blijven. 'Zoals Lewis ooit tegen Clark zei: "Hij die zijn leven geeft voor een vriend is waardevoller dan de hele staat Louisiana."'

En ik kon alleen nog maar denken: stel dat hij me nu tegen zich aan trekt – en stel dat Dewey dan net opduikt zodat ik straks tot in de eeuwigheid bekendsta als Antsy de knuffelbeer?

Maar in plaats daarvan keek Gunnar weer naar het papier en zei: 'Al heb je niet gespecificeerd welke maand je me geeft.'

'Huh?'

'Nou ja, de ene maand duurt langer dan de andere, hè? September telt dertig dagen, oktober eenendertig, en laten we over februari maar niet eens beginnen!'

Ik moet toegeven dat ik even perplex stond, maar dat gaf niet, want perplex staan is iets waarin ik bedreven ben; het is een vrij natuurlijke toestand voor me. Ik was bereid mee te gaan in Gunnars praktische benadering – per slot van rekening was hij degene die doodging, en ik zou zijn aanpak daarvan niet in twijfel trekken. Op mijn vingers rekende ik het vlug na. 'Je hebt nog zes maanden over, hè? Met een erbij zitten we dan in mei. Dus geef ik je mei.'

'Mooi!' Gunnar gaf me een klap op mijn rug. 'In mei ben ik jarig!'

Op dat moment kwam Mary Ellen McCaw uit de lucht vallen. Ze griste het vel uit Gunnars hand en vroeg: 'Wat is dit?'

Het is maar dat je het weet: Mary Ellen McCaw is de roddelkampioen in de jeugdcategorie van Brooklyn. Ze loopt constant naar sappige schandalen te snuffelen, en aangezien haar neus het formaat heeft van een klein schiereiland, is haar reuk scherper dan die van een bloedhond. Ze moest van Gunnars ziekte hebben geweten; ze was waarschijnlijk zelfs persoonlijk verantwoordelijk voor het rondbazuinen van de informatie in New York, en misschien ook in delen van New Jersey.

'Geef terug!' riep ik, maar ze hield het buiten mijn bereik en begon het te lezen. Vervolgens keek ze me aan alsof ik zojuist was neergedaald van een tot dan toe onbekende planeet.

'Je geeft hem een maand van je leven.'

'Nou en?'

'Je gunt Gunnar wat extra tijd? Antsy, wat schattig!'

Nu stond ik nog perplexer, want niemand had me ooit schattig genoemd – zeker niet Mary Ellen McCaw, die nooit iets positiefs over een ander zei. Eerst ging ik er nog van uit dat ze het als belediging bedoelde, maar aan haar gezicht te zien meende ze het.

'Wat een lief gebaar!' zei ze.

Ik haalde mijn schouders op. 'Het is maar een vel papier.'

Maar wie hield ik nou voor de gek? Het was al veel meer dan zomaar een vel papier. Mary Ellen draaide zich van mij naar Gunnar en knipperde met haar wimpers. 'Mag ik ook een maand van mijn leven doneren?'

Ik nam haar op, vroeg me af of ze ons stond te treiteren, maar dat was duidelijk niet zo.

Gunnar was enorm gevleid, schonk haar een blik van ah-gossietoch en zei: 'Ja hoor, als je dat graag wilt.'

'Nou, dat is dan geregeld,' zei Mary Ellen. 'Antsy, jij maakt het contract wel op, hè?'

Ik reageerde niet, want ik stond nog steeds in perplexstand.

'Vergeet niet de maand te specificeren,' zei Gunnar.

'En zorg ervoor,' voegde Mary Ellen eraan toe, 'dat hij van het eind van mijn leven wordt afgetrokken, niet ergens van het midden.'

'Hoe kan hij nou van het midden worden afgetrokken?' vroeg ik na een korte aarzeling.

'Ik weet niet – een tijdelijk coma of zoiets? Het punt is dat er zelfs in een symbolisch gebaar geen mazen mogen zitten, toch?'

Tja, wie was ik om tegen zulke logica in te gaan?

'En, hoe ziet het eruit bij de Ümlauts?'

Die middag in de kantine werd ik door Howie en Ira bestookt met vragen, alsof bij de Ümlauts langsgaan neerkwam op het betreden van een spookkasteel.

'Het stond zeker vol met medische apparatuur?' vroeg Howie. 'Mijn oom moest een hele kamer laten uitbouwen voor zijn ijzeren long – dat ding is zo groot als een auto.'

'Ik heb er niets van gezien,' zei ik tegen ze. 'Zo'n soort ziekte is het niet.'

'Maar het was vast bizar,' zei Ira.

Ik overwoog ze over Gunnars doe-het-zelf-grafsteen te vertellen, maar vond dat ik over zoiets persoonlijks niet mocht roddelen.

'Het was niks bijzonders,' zei ik tegen ze. 'Het is een normaal gezin. Hun vader is altijd aan het werk. Hun moeder is best aardig, en Kjersten en Gunnar zijn gewoon een broer en zus.'

'Kjersten...' Ira en Howie wierpen elkaar een veelbetekenende grijns toe. 'Heb je die ook gesproken?'

'Eerlijk gezegd wel. We hebben met zijn allen gegeten.' Het stelde Ira en Howie teleur dat alles zo doorsnee was, al waren ze stikjaloers omdat ik zomaar met Kjersten aan tafel had gezeten. Ik hoefde niet eens te overdrijven. Hoe meer ik het afzwakte, hoe groener ze aanliepen.

Het heeft wel wat als je vrienden je ergens om benijden. Ze maakten een paar van die afgezaagde grove geintjes die jongens maken over mooie meiden die onbereikbaar voor ze zijn – het soort geintjes dat ik eigenlijk ook had willen maken, maar ik hield me in.

Het gesprek kwam terug op de dood, een onderwerp dat even fascinerend en bijna zo onbevattelijk is als seks.

'Ze zijn zeker vreselijk religieus, hè?' vroeg Ira. 'Daar klampen mensen zich altijd aan vast als er iemand ziek wordt – kun je je Howies ouders nog herinneren, toen ze dachten dat hij gekkekoeienziekte had?'

'Hou alsjeblieft op,' zei Howie.

Ik dacht even na, maar ik kon me niet herinneren dat de Ümlauts daarmee bezig waren geweest. Ze hadden niet gebeden voor het eten, zoals bij ons – als we er tenminste aan denken. Raar, want Ira had gelijk – als Gunnar mijn zoon was, zou ik dag en nacht lopen bidden.

'Zijn moeder praat niet eens over zijn ziekte,' zei ik tegen ze. 'Dat zal wel haar manier zijn om ermee om te gaan. Op zich is het best maf, er staat de hele tijd een olifant in de kamer.'

Howie keek me aan met die verdrinkende-pinguïn-ogen van hem, en ik zag de bui al hangen.

'Dat meen je toch niet, hè? Dat is toch verboden?'

'Nee hoor,' antwoordde ik meteen. 'Want hij is zindelijk. Hij maakt trouwens abstracte schilderijen met zijn slurf.'

'Oké.' Nu begon Howie boos te worden. 'Dit sta je gewoon te verzinnen.'

Ik had er nog uren mee door kunnen gaan, maar Ira kwam tussenbeide. 'Het is maar een uitdrukking, Howie. Als iets overduidelijk is maar iedereen doet alsof zijn neus bloedt, zeg je dat er een olifant in de kamer staat – want net als een olifant is het zo groot en dik dat je het maar moeilijk over het hoofd kunt zien.'

Howie liet het even bezinken en knikte toen. 'Ik snap het,' zei hij. 'Zo'n ernstige gewichtstoename kan op een klieraandoening duiden. Heb je het over zijn moeder?'

Deze keer probeerde Ira hem niet eens meer op het juiste spoor te krijgen.

Die middag stond me nog een tweede gangconfrontatie te wachten. Het was zo'n moment dat zich in je geheugen brandt als een peuk in een leren bank. Ik ben ervan overtuigd dat ik er hersenletsel aan heb overgehouden.

Het was net voor de laatste les. Ik stond mijn wiskundeboek uit mijn kluisje te vissen voordat de tweede bel zou gaan, toen ik een bekende stem voor de derde keer in evenzoveel dagen mijn naam hoorde zeggen.

'Antsy?'

Ik keek achterom en zag niemand minder staan dan Kjersten

Ümlaut. Haar ogen waren helemaal vochtig en glanzend, en het eerste dat me inviel was dat Kjersten nog mooier was als ze huilde.

'Ik heb gehoord wat je voor Gunnar hebt gedaan,' zei ze.

Ik was bang dat ze me een dreun zou verkopen, dus ik zei vlug: 'Sorry. Het was ook een stom idee.'

'Ik wilde alleen even zeggen hoe attent ik het vind.'

'Serieus?'

'Serieus. Ik wilde je bedanken.'

En toen gebeurde het. Ze zoende me. Misschien had ze alleen maar een vluchtig kusje op mijn wang willen drukken, maar ik had net het deurtje dichtgedaan en was me aan het omdraaien, dus haar mond belandde als een schot in de roos op die van mij.

Oké – nu zou je denken aan dromen die vervuld worden en aan vuurwerk en bevroren beelden – *Matrix*achtige special effects. Toch? Het punt is alleen dat zoiets enkel gebeurt als je het aan ziet komen en de kans hebt je voor te bereiden. Maar dit was totaal onverwacht. Het leek op het over zijn toeren jagen van een koude startmotor. Een hoop geknars en starten ho maar. Dus wat een hemelse zoen had moeten worden, werd een helse lippenbotsing.

Ik was namelijk net terug van gymles. We hadden buiten in de kou rondgeheld, dus mijn neus zat verstopt en ik hijgde nog na. Waardoor mijn mond als een vissenbek openhing terwijl ze op me afkwam.

Zodra ze doel raakte, denderde er een miljoen volt door mijn schedel, en mijn hersens sloegen op tilt en besloten er een poosje tussenuit te knijpen voor een vakantie op Hawaï – ik hoorde de vliegtuigmotoren praktisch ronken terwijl ze opstegen van LaGuardia – en het enige dat nog tot mijn bewustzijn doordrong was dat het zo'n geluk was dat net vorige maand mijn beugel eruit was gehaald, onmiddellijk gevolgd door verlammende angst, want de spalkdraad zat er nog, en waarom had ik nou uitgerekend vandaag salami op mijn brood moeten nemen, en zou de koek die ik na afloop had gegeten de stank genoeg maskeren, en waar kwam opeens die pepermuntsmaak vandaan?

Plotseling klonk overal getringel, en ik dacht dat ik in een soort psychose was geschoten, totdat ik me realiseerde dat het de tweede bel al was, wat betekende dat ik vandaag zou moeten nablijven, maar dat deed er allemaal niet toe, want daar had je Dewey Lopez met zijn camera, die het moment voor de eeuwigheid vastlegde en zei: 'Bedankt, jongens, dat wordt een fraaie!' en weg was hij, misschien om op dat strand in Maui naar mijn hersens te gaan zoeken.

Toen Kjersten zich eindelijk terugtrok, zei ik – ik zweer dat ik het zei: 'Wil je je kauwgom terug, of zal ik hem houden?'

Ze werd een beetje rood, of misschien was het blauw, want ik was acuut kleurenblind door de schroeiplek in mijn brein.

'Sorry,' zei ze, en ik bedacht dat ik eigenlijk degene was die sorry moest zeggen, maar ik stond nog steeds te dubben over wat ik in godsnaam met die kauwgom moest doen, en toen zei ze: 'Nou ja, ik wilde je alleen even bedanken. Het is precies wat Gunnar nodig heeft.'

'Bedankt voor het bedanken,' zei ik, 'Je mag me zo vaak bedanken als je maar wilt!'

Ze was nog vlugger verdwenen dan Dewey Lopez.

Het lukte me nog naar mijn lokaal te komen, maar van de wiskundeles kon ik me achteraf niets meer herinneren.

Mijn ervaringen met meisjes zijn beperkt en kennen doorgaans een pijnlijke afloop. De enige uitzondering is Lexie Crawley. Op de rampplek van die relatie zijn uiteindelijk bloemen opgeschoten in plaats van brandnetels en vleesetende planten. Met andere woorden, nadat we het hadden uitgemaakt, waren Lexie en ik vrienden geworden – en het is een heel ander soort vriendschap dan met Howie en Ira. Kijk, Howie en Ira lijken meer op familie. Je weet dat je niet aan ze kunt ontsnappen, dus je probeert het niet eens maar legt je erbij neer dat ze er zijn. Op zich kan het geen kwaad om zulke vrienden te hebben, want welke richting je leven ook neemt, je kunt altijd rekenen op de Howies en Ira's van deze wereld om je zelfvertrouwen op te krikken, doordat je zo gunstig bij ze afsteekt.

Met Lexie ligt het anders. Ten eerste is ze blind maar ziet ze alles. Een handicap hoeft iemand niet per se uitzonderlijk te maken, maar Lexie heeft iets geweldigs weten op te bouwen uit wat anderen een gebrek zouden noemen. Ten tweede ken ik niemand met zoveel klasse als zij, en dan heb ik het niet over arrogante ik-ben-beter-dan-jij-klasse. Ik heb het over ware klasse. Ik bewonder haar om haar persoonlijkheid.

Het zit ongeveer zo tussen Lexie en mij. Zij kan tegen me zeggen dat ze me veel liever als gewone vriend heeft dan als haar verkering, en dat kan ik als een compliment opvatten. Dat is nogal wat, want de meeste meiden gebruiken die 'laten we vrienden blijven'-dooddoener als een geheime code voor 'blijf met je vieze tengels van me af, slijmbal dat je bent', maar Lexie niet. Als ik iemand advies kon vragen over hoe ik Kjerstens zoen moest interpreteren, was zij het wel.

Vanuit school ging ik rechtstreeks naar Crawley's om haar op te zoeken. Hoewel de ouwe Crawley het leeuwendeel van *Paris, Capisce?* in bezit had, hield hij zich vooral bezig met zijn eerste bedrijf. Je zou zelfs kunnen zeggen dat Lexie en hij er praktisch woonden. Alleen de benedenverdieping van het enorme pand is namelijk als restaurant ingericht; de eerste etage is een appartement. Ze deelden de ruimte met vijftien honden: een voor elk van de zeven hoofdzonden en de zeven deugden, plus nog een blindengeleidehond die als blonde labrador in een zee van Afghanen ongetwijfeld in een identiteitscrisis verkeerde.

'Wat moet jíj hier?' gromde de ouwe Crawley terwijl hij de deur opendeed. Dat was zijn standaardbegroeting. Behalve wanneer hij me verwachtte; dan snauwde hij: 'Je bent te laat!' ook al was ik te vroeg. Ik was niet de enige die zo werd behandeld, hoor. Voor hem werd de hele wereld bevolkt door vijanden die het op hem gemunt hadden. Volgens mijn vader putte Crawley er het grootste plezier uit hem te laten zweten. Wat dat aanging kon ik mijn vader nog wel wat leren, want mij kreeg Crawley nooit aan het zweten. Ik lachte hem gewoon uit. Hij kon het niet uitstaan, maar ik geloof dat hij er ook bewondering voor had.

De honden sloegen aan en klauwden naar me om me welkom te heten. Crawley trok Gluttony aan zijn halsband achteruit en stuurde hem weg. Omdat Gluttony het alfamannetje van de roedel was, gingen de andere beesten hem achterna.

'Is het alweer zo ver?' vroeg Crawley terwijl ik naar binnen stapte.

'U zult nooit weten wanneer het zover is,' zei ik grijnzend tegen hem.

'Ik heb het altijd door,' zei hij. Hij doelde uiteraard op onze maandelijkse ontvoering – het uitstippelen daarvan was meestal de reden waarom ik Lexie opzocht. Zoals ik al zei, Crawley liet zich regelmatig door ons kidnappen, zodat hij gedwongen was af en toe iets opwindends te ondernemen. Hij betaalde me er zelfs voor. Het feit dat hij rijk is en we de avontuurlijke uitjes op zijn kosten mogen maken, biedt unieke mogelijkheden. Vier weken geleden hebben we nog in het Brooklyn Aquarium tussen de dolfijnen gezwommen, met een haai erbij om het extra spannend te maken.

'Wat hebben jullie deze keer voor me in petto?' vroeg hij.

'Een tochtje met het ruimteveer,' antwoordde ik. 'We sturen u het heelal in om een komeet op te blazen voordat hij de aarde kan vernietigen. U wordt aan de punt van een kernkop vastgebonden.'

'Bijdehante snotaap.' Hij gaf me een por met zijn wandelstok. Hoewel hij vorig jaar zijn heup had gebroken, geloofde ik niet dat hij die stok nog steeds nodig had bij het lopen. Volgens mij had hij hem alleen als wapen gehouden.

'Vertel eens,' zei hij, 'wat voor blunders heb je nog meer begaan bij *Paris, Capisce?* de laatste tijd?'

'Behalve met Thanksgiving bedoelt u? Sorry, verder geen amusante rampen.'

Hij schudde zijn hoofd en wierp me een vuile blik toe. Het irriteerde hem dat ik geen vernederende hulpkelnerverhalen te vergeven had. 'Onvoorstelbaar,' zei hij. 'Zelfs als je me *niet* teleurstelt stel je me teleur.' Daarop verdween hij de keuken in, waar hij meteen werd omsingeld door een goudbruine golf van honden.

Toen Lexie tien minuten daarna thuiskwam en merkte dat ik er was, reageerde ze aangenaam verrast. Ze liet Moxie, haar blindengeleidehond, los uit zijn beugel, en hij kwam op me af huppelen, alle emoties uitend waarvoor Lexie zelf te netjes was. Al gaf ze me wel een knuffel.

'Ik ben blij dat je er bent,' zei ze. 'Ik moet steeds aan je denken.'

'O ja?' Meteen vroeg ik me af wát ze dan dacht, en waarom, en of ik me gegeneerd of gevleid of opgelaten moest voelen.

'Er zit een nieuwe jongen bij me op school die dezelfde stem heeft als jij. Ik hoor hem aldoor in de kantine. Ik raak er zo van in de war.'

'Ja,' zei ik, 'iemand met zo'n stem als ik, daar raak je als vrouw wel van in de war.'

Ze lachte. 'Ik raak er alleen maar van in de war omdat ik telkens denk dat jij het bent.'

We gingen in de woonkamer tegenover elkaar zitten. Ik kwam direct ter zake en vertelde haar waarom ik er was. Ik had verwacht dat ze me wijze raad zou geven, of zelfs een wegenkaart van Kjersten Ümlauts ziel.

Ze sloeg haar armen over elkaar. 'Even kijken of ik het goed begrijp,' zei ze. 'Je komt hierheen om me te vertellen dat je bent gezoend door een mooi meisje, en nu wil je dat *ik* je daar advies over geef.'

'Ja, dat was ongeveer het idee.'

Ik merkte al dat het de verkeerde kant op ging. Ik mag dan niet zo'n fijnbesnaard type zijn, ik weet inmiddels hoe belangrijk het is om Lexies lichaamstaal te lezen. Veel mensen proberen hun lichaamstaal te vervormen – ze laten je zien wat ze willen dat je ziet – maar doordat Lexie niet denkt in termen van zien, is haar lichaamstaal altijd oprecht. En ze was oprecht op haar tenen getrapt.

'Dus je bent gezoend door een meisje. Wat heb ik daarmee te maken?'

'Het is niet zomaar een meisje, ze zit TWEE klassen hoger dan ik. En alle jongens op school zouden er een moord voor doen om haar te krijgen – maar ze heeft *mij* gezoend.'

Lexie snoof, en ze bleef met haar armen over elkaar zitten. Zelfs de honden namen haar angstvallig op, alsof ze aanvoelden dat er iets niet pluis was.

En toen drong het eindelijk tot me door. 'Ben je soms jaloers?'

'Natuurlijk niet,' antwoordde ze, maar haar lichaamstaal zei iets anders.

'Hoe kun je nou jaloers zijn?' vroeg ik. 'Jij gaat toch met die gozer die klakt?' De jongen over wie ik het had was een blinde medeleerling van haar, die als een van de weinigen bedreven was in echolocatie. Door klakkende geluiden te maken kon hij precies aanwijzen wat zich waar bevond. Hij was een soort menselijke sonar – hij was er zelfs mee op het nieuws geweest.

'Hij heet Raoul,' zei Lexie beledigd.

'Ja, nou ja, als *ik* Raoul heette, zou ik liever hebben dat ze me "die gozer die klakt" noemden.'

De trek op haar gezicht deed minstens vier Afghanen op de vlucht slaan. Het leek me verstandig het onderwerp te laten rusten, dus ik begon haar het hele verhaal over Gunnar te vertellen, over zijn rare ongeneeslijke ziekte, over de maand die ik hem had gegeven. Als ze de achtergrond kende, zou ze misschien wat minder stekelig doen. Zodra ze hoorde dat ik hem extra tijd cadeau had gedaan, haalde ze haar armen van elkaar.

'Je hebt een maand van je leven aan hem afgestaan?'

'Ja, en daarom heeft zijn zus me gezoend – zegt ze.'

'Antsy, wat ontzettend lief van je!'

'Ja, oké, maar daar hebben we het nu niet over, we hebben het over die zoen.'

'Dat komt zo wel – ik wil eerst weten wat hij zei.'

Inmiddels werd ik zelf ook nogal stekelig. 'Hij zei "bedankt", wat dacht je anders? Toe nou, wat vind jij van die zoen?'

Maar als er al hoop was geweest advies van haar te krijgen, werd die de bodem ingeslagen toen de ouwe Crawley binnen kwam sjokken. Het bleek dat hij het hele gesprek had afgeluisterd.

'Afstand doen van een maand van je leven – in ruil waarvoor?' vroeg hij.

Ik zuchtte. 'Niks. Het was een symbolisch gebaar.'

'Symbolisme wordt gruwelijk overschat,' zei Crawley. 'En het is dom van je. Zo'n schenking kun je niet eens van de belasting aftrekken. Je had er iets voor terug moeten krijgen.'

'En wat zou een maand van iemands leven dan waard zijn?' vroeg ik puur uit nieuwsgierigheid.

Hij nam me van top tot teen op en krulde zijn bovenlip alsof ik een bedorven vis in een marktkraam was. 'Een maand van *jouw* leven?' vroeg hij. 'Hooguit een dollar achtennegentig,' en hij liep weg, kakelend in zichzelf om de manier waarop hij me erin had laten stinken.

'Nou,' zei Lexie, die zo te zien niet meer kwaad op me was, 'voor mij is een maand van jouw leven heel wat meer waard dan een dollar achtennegentig.' Ze probeerde mijn hand te pakken, en ik stak die van mij uit zodat ze er niet naar hoefde te zoeken. Ze greep hem stevig vast en glimlachte. Toen zuchtte ze en zei aarzelend: 'Wat die zoen betreft, als vrienden onder elkaar, ik denk dat er meer achter zit. Een "bedankt-zoen" bestaat niet. In elk geval niet op high-school.'

5   MENSEN DOEN OM DE STOMSTE REDENEN AFSTAND VAN HUN LEVEN, MAAR DAT MAG JE MIJ NIET AANREKENEN, IK HEB ALLEEN HET CONTRACT OPGESTELD

Volgens mij is het onmogelijk om niet egoïstisch te zijn. Dat betekent natuurlijk niet meteen dat iedereen zich zo moet gedragen als de ouwe Crawley, maar in alles schuilt wel wat egoïsme. Want ook al geef je iets uit de grond van je hart, je krijgt er altijd iets voor terug, nietwaar? Het kan gewoon het plezier zijn om iemand anders blij te maken – waardoor je een beter gevoel over jezelf krijgt en de wandaden die je eerder die dag hebt begaan kunt wegstrepen.

Zelfs Howie, die constant op zijn donder krijgt van zijn moeder omdat hij de verkeerde cadeautjes voor haar uitzoekt, haalt daar iets positiefs uit. Telkens als hij wordt uitgekafferd omdat hij bloemen heeft gekocht waar ze allergisch voor is of zo, krijgt hij dat warm-roezerige gevoel van vertrouwen dat sommige dingen nooit veranderen, en dat zijn universum stevig en stabiel is.

Ook mijn eigen motieven waren behoorlijk troebel als het op mijn zogenaamde goede daden voor Gunnar aankwam, en door de Kjersten-complicatie begon het steeds sterker op vermomd egoïsme te lijken.

Volgens Lexie betekende Kjerstens zoen meer dan zomaar een bedankje. Ik hechtte veel waarde aan wat zij ervan dacht, niet alleen omdat ik op haar mening vertrouwde, maar vooral omdat ik er zelf diep vanbinnen ook vrij zeker van was dat het meer had betekend. Op zijn minst was het een uitnodiging om het meer te *laten* betekenen. Was het slecht van me om me aan goede daden te bezondigen als dat me aandacht van Kjersten opleverde?

Hierbij verklaar ik, Mary Ellen McCaw, in volle tegenwoordigheid van geest, een maand van mijn natuurlijke
leven te vermaken aan Gunnar Ümlaut. Het betreft de
maand juni, die zal worden afgetrokken van het eind van
mijn natuurlijke leven, en niet van het midden.

Mary Ellen McCaw
Handtekening

Anthony Bonano
Handtekening van getuige

Dankzij Mary Ellen had het gerucht over 'tijdschrapen' zich als een
lopend vuurtje verspreid. Ze liep tegen de hele wereld op te schep-
pen dat ze een maand van haar leven had gedoneerd aan die arme,
arme Gunnar Ümlaut, en dat het zo knap verzonnen was van haar,
al had ik er wellicht een A4-tje aan bijgedragen.

Omdat ze op school niet helemaal achterlijk waren, prikten ze
dwars door Mary Ellen heen en begrepen ze dat ze op mijn idee pa-
rasiteerde. Al de volgende dag kwamen er een stuk of zes mensen op
me af die ook een donatie wilden doen. Gunnar was maar al te
graag bereid de maanden die hem werden aangeboden te accepteren.

Kjersten was flink geïmponeerd. 'Dit is precies wat Gunnar
nodig heeft,' zei ze toen ik haar Mary Ellens contract liet zien. 'Ik
weet niet hoe ik je moet bedanken.'

Ik had haar wel wat suggesties aan de hand kunnen doen.

Er was een meisje bij, Ashley Morales, dat overduidelijk verliefd
was op Gunnar – nog heviger dan de rest van het vrouwelijke leerlingenbestand. Haar maand moest iets bijzonders worden. 'Het
moet de allerlaatste zijn,' zei ze tegen me. 'Kun je ervoor zorgen dat
hij weet dat mijn maand zijn laatste is?'

Omdat niemand anders die eer had opgeëist, kon ik haar best
tegemoetkomen.

Hierbij verklaar ik, Ashley Morales, in volle tegenwoordigheid van geest, een maand van mijn natuurlijke leven te vermaken aan Gunnar Ümlaut. Het zal **niet** aanstaande mei of juni betreffen, die al door anderen zijn gereserveerd. De maand zal worden afgetrokken van het eind van mijn natuurlijke leven, en niet van het midden. De maand zal definitief de **allerlaatste aanvullende maand** van Gunnar Ümlauts natuurlijke leven zijn, waarna er alleen nog het hiernamaals zal overblijven, indien van toepassing.

Ashley Morales
Handtekening

Neena Wexler
Handtekening van getuige

Er was een jongen die net had gebiecht, en de pastoor had hem opgedragen zo'n veertienduizend weesgegroetjes te zeggen omdat hij de metro had volgekalkt met schunnige leuzen. Door te pingelen had hij dat weten terug te brengen tot vier weken maatschappelijke dienstverlening. Waarschijnlijk vond hij dat een maand aan Gunnar doneren op hetzelfde neerkwam.

Hij maakte zich er alleen vreselijk druk over, en hij vatte het nog ernstiger op dan Ashley.

'Ik wil geen maand opgeven als ik dan morgen ineens de pijp uitga of zo,' zei hij tegen me, 'want dan moeten er nog dagen afgetrokken worden die ik al heb opgeleefd, en op dat soort ellende zit ik niet te wachten.'

'Kom op, het is maar symbolisch,' hield ik hem voor. 'We doen het gewoon om Gunnar op te peppen.'

'Oké,' zei hij, 'maar stel nou dat het achteraf toch waar blijkt te zijn – zoals met die e-mailtjes die je naar tien anderen moet doorsturen, of anders ga je dood?'

54

'Dat zijn lulverhalen!' zei ik tegen hem.

'Oké,' zei hij, 'maar dat kun je nooit zeker weten...'

Nu ik erbij stilstond begon ik opeens nerveus te worden, want zelf had ik ook vaak genoeg van die stomme berichten doorgestuurd. Al deed ik dat meestal alleen aan mensen die ik niet mocht.

Ik zuchtte. 'Luister, als ik jouw contract nou laat vervallen als je voor volgende maand de pijp uit mocht gaan? Dan hoef je geen dagen meer in te lossen en kun je schuldenvrij de hemelpoort binnengaan.'

Na een korte aarzeling stemde hij uiteindelijk in, en hij ging opgetogen terug naar meneer pastoor – missie volbracht.

Hierbij verklaar ik, Jasper Horace Januski, in volle tegenwoordigheid van geest, een maand van mijn natuurlijke leven te vermaken aan Gunnar Ümlaut, onder de volgende voorwaarden:

1. De maand zal niet aanstaande mei of juni betreffen, of de laatste maand van Gunnar Ümlauts leven, die al door anderen zijn gereserveerd.
2. De maand zal worden afgetrokken van het eind van mijn natuurlijke leven en niet van het midden.
3. De gedoneerde maand zal vervallen als mijn eigen houdbaarheidsdatum minder dan 31 dagen verwijderd blijkt te zijn van de datum van dit contract.

Jasper Januski
Handtekening

Dewey Lopez
Handtekening van getuige

Ik moet toegeven dat het me een prettig gevoel gaf iets positiefs te doen voor Gunnar, ondanks het feit dat het me nog geen tweede zoen van Kjersten had opgeleverd, ongeacht hoe weinig salami ik at of hoeveel mondwater ik gebruikte. Misschien had haar terughoudendheid te maken met de foto van onze eerste kus, die in de schoolkrant was afgedrukt. Gelukkig niet op de voorpagina, want Dewey Lopez had ook een kiekje bemachtigd van directeur Sinclair die met openstaande gulp en zijn hemd uit zijn broek het toilet af kwam – voorpaginamateriaal bij uitstek. Toch werd het artikel op bladzijde vier, met de onsmakelijke kop LIEFDE MAAKT KLASSE(N)BLIND, door de hele school gezien.

Wat het gevolg was voor Kjerstens positie in de sociale rangorde weet ik niet, maar die van mij ging ineens met sprongen omhoog. Iedereen wilde er meer over weten, maar ik hield mijn lippen stijf op elkaar. Het leek me dat Kjersten meer respect zou hebben voor een man die discreet wist te blijven – ook al was ik een jaar en zeven maanden jonger dan zij. (Ja, ik was de administratie binnengeslopen en had in haar dossier gesnuffeld om erachter te komen hoeveel we precies in leeftijd scheelden.)

Kjersten begon nooit over het artikel of de foto, en op de zoen zelf kwam ze ook niet meer terug. Wel bleef ze tegen me zeggen hoe geweldig ze me vond, wat betekende dat het misschien nog maar een paar dagen zou duren voor ik weer een stukje kauwgom van haar kreeg.

'Bijzonder hoor, hoe jij begrijpt dat Gunnar niet zo lekker in zijn vel zit,' zei ze tegen me toen ik haar de maand overhandigde die Howie had gedoneerd – wat al nummer zeven was, en de teller liep nog verder op.

Op dat moment had ik om haar opmerking gelachen, en ik had me afgevraagd waarom ze zijn terminale ziekte afdeed als 'niet lekker in zijn vel zitten'. Nu vraag ik me dat niet meer af. En lachen doe ik ook niet meer.

Hierbij verklaar ik, Howard Bernard Bogerton, in relatieve tegenwoordigheid van geest, een maand van mijn natuurlijke leven te vermaken aan Gunnar Ümlaut, onder de volgende voorwaarden:

1. De maand zal niet aanstaande mei of juni betreffen, of de laatste maand van Gunnar Ümlauts leven, die al door anderen zijn gereserveerd.
2. De maand zal van het einde van mijn natuurlijke leven worden afgetrokken, en niet van het midden.
3. De gedoneerde maand zal vervallen als mijn eigen houdbaarheidsdatum minder dan 31 dagen verwijderd blijkt te zijn van de datum van dit contract.
4. Mocht Gunnar Ümlaut mijn maand gebruiken voor criminele activiteiten zoals winkeldiefstal of seriemoord, dan word ik daar niet verantwoordelijk voor gehouden.

Howie Bogerton
Handtekening

Ira Goldfarb
Handtekening van getuige

Tegen die vrijdag had ik een vol jaar voor Gunnar bij elkaar.

Op zaterdag komt bij ons niemand meer vroeg zijn bed uit, want vrijdagsavonds wordt het altijd laat in het restaurant. Mijn vader en moeder staan meestal nog later op dan ik – en dat wil nogal wat zeggen. Toen ik die ochtend rond elven de keuken in slofte, zag ik ma aan haar eerste kop koffie zitten. Ze probeerde een ontroostbare Christina te troosten.

'Maar ik wil hem niet in laten slapen,' zei mijn zusje door haar tranen heen. 'Dat is gemeen.'

'Het is gemeen om hem te laten lijden.' Mijn moeder keek naar de kat, die in de vensterbank in het zonnetje lag. Als Ichabod al ergens onder leed, liet hij dat in elk geval niet merken. Het was eer dat zo dat wij onder hem leden, want het arme beest was zo stokoud im- hij de functie van de bak niet meer begreep en was begonnen te proviseren, waardoor er op de meest onwaarschijnlijke plaatsen kleine Ichabonkjes lagen.

'Lieverd, niemand heeft het eeuwige leven,' zei ma vol warmte. 'Weet je nog hoe het met Mr. Moby ging – en denk eens terug aan je hamsters.'

'Dat was anders!'

Mr. Moby was Christina's goudvis geweest. Of feitelijk een hele reeks goudvissen. Ze had ze allemaal Mr. Moby genoemd, zoals ze bij Sea World al hun sterwalvissen 'Shamu' noemden. Later was ze opgeklommen tot hamsters, grappige, knuffelige maar verdorven wezentjes die elkaar met zo'n regelmaat opvraten dat je zou denken dat kannibalisme in hun taakomschrijving stond. Maar Christina had gelijk – dit was anders. Een kat was meer een familielid. Bovendien was sterfelijkheid in mijn huidige gemoedstoestand een nogal gevoelig onderwerp.

'Ma,' zei ik, 'kunnen we de natuur niet gewoon zijn loop laten volgen, en Ichabod laten gaan wanneer hij eraan toe is?'

'Ik ruim de troep wel op als hij het naast de bak doet,' bood Christina aan. 'Beloofd.'

'Ja,' zei ik. 'Wie weet kan ze de drollen uit het raam laten opstijgen.'

Christina wierp me een vuile blik toe. 'En jij kunt Ichabod wel een extra maand van een van je vrienden geven.'

Haar opmerking verbaasde me – ik wist niet eens dat ze van het tijdschrapen op de hoogte was, maar ja, er werd nou eenmaal gekletst. Mijn moeder ontging het gelukkig.

'Weet je wat?' zei ma. 'Ik bemoei me er verder niet mee. Het is jullie verantwoordelijkheid.' En ze schonk zichzelf nog maar een kop koffie in.

Die middag ging ik met het *Grapes of Wrath*-project als smoes bij Gunnar langs. In werkelijkheid hoopte ik Kjersten te kunnen zien – al zag ik daar tegelijkertijd als een berg tegen op. Het bleek dat ze al vroeg de deur uit was gegaan voor een tennistoernooi. Ik was minstens even opgelucht als teleurgesteld.

We waren halverwege het boek en hadden besloten voor onze opdracht Gunnars achtertuin om te toveren in de stofschaal. We zouden de hele klas uitnodigen om ernaar te komen kijken. De stofschaal, zo werd het Midwesten in de jaren dertig genoemd, toen Oklahoma, Kansas en ik geloof ook Nebraska zo verdroogden dat ze praktisch door stormen werden weggeblazen. Wat weer losstond van *Gone With the Wind*, al was die film ongeveer in dezelfde periode opgenomen.

Toen we Mrs. Ümlaut over ons voornemen vertelden, reageerde ze nogal gemelijk – een woord dat ze in de jaren dertig veel gebruikten. Maar aangezien de achtertuin voornamelijk bestond uit stug gras dat al zo'n beetje in winterslaap was, gaf ze ons schoorvoetend toestemming om het groen om zeep te helpen, zolang we beloofden alles in de lente weer op orde te maken. Onwillekeurig wierp ik een blik op Gunnar terwijl ze dat zei, want stel dat hij er niet meer was in het voorjaar? Aan de andere kant was dit misschien haar manier om aan hem te laten doorschemeren dat hij er tegen die tijd nog wel zou zijn.

Naar mijn idee was het grootste probleem met de stofschaal Gunnars onvoltooide grafsteen pal in het midden van de tuin. Inmiddels was Gunnar klaar met zijn eerste voornaam. Hij was begonnen aan zijn tweede, Kolbjörn, en hij was bang dat die niet op één regel zou passen.

'Misschien moet ik wel opnieuw beginnen op een ander blok graniet,' zei hij tegen me.

Ik knikte alleen maar. Het leek me verstandiger niet betrokken te raken bij grafsteen-gerelateerde kwesties.

Voordat we begonnen met het uitmoorden van de hulpeloze vegetatie, nam Gunnar me mee naar zijn kamer boven om te laten zien wat hij had gedaan met de twaalf maanden die ik voor hem had verzameld. Hij had de vellen geperforeerd en in een map gedaan waar *Leven* op stond. De map lag op een opvallende plek tentoongesteld, zoals iemand anders met een fotoalbum zou doen.

'Ik heb gisteren een consult gehad bij Dr. G,' vertelde hij. 'Volgens hem zou ik het wel eens nog negen maanden vol kunnen houden – of langer zelfs, want de symptomen worden niet erger.' Toen klopte hij op zijn Levensmap. 'Maar misschien is dit hier wel de ware reden.'

Ik stootte een nerveus lachje uit. 'Het is in elk geval mooi meegenomen.'

Ik weet nog steeds niet of hij het serieus meende of gewoon meespeelde. De leerlingen die een maand hadden gedoneerd, beschouwden het vooral als een spelletje. Ik bedoel, oké, ze waren gefixeerd op de regels, maar het was meer zoals je tijdens het monopoliën ruzie of je wel of niet vijfhonderd dollar hoort te krijgen als je op 'Vrij Parkeren' terechtkomt. In de spelregels staat van niet, maar er zijn toch mensen die bij hoog en laag beweren dat de kassa rinkelt als je op dat vakje komt. Mijn neef Al heeft er zelfs eens iemands neus om gebroken – waarna hij rechtstreeks naar de gevangenis mocht, ga niet langs 'Start'.

Het punt is dat zelfs als een spel serieus wordt, er nog steeds een verschil is tussen spel-serieus en serieus-serieus. Als ik zeker had geweten aan welke kant van die grens Gunnar stond, zou ik me een heel stuk beter hebben gevoeld.

Overigens was ik niet de enige die een beetje zenuwachtig werd van Gunnar. Goed, de meiden verdrongen zich om hem heen, maar onze literatuurkringen hadden zich keurig volgens de scheidslijnen van de seksen gevormd, en zij hadden allemaal voor romantisch klinkende titels gekozen, zoals *East of Eden*. In ons groepje waren we in het begin met vier jongens geweest, maar er waren er twee overgestapt op andere romans. Ik vermoedde dat ze zich, ongeveer zoals de boerenknechten in ons boek, hadden laten verdrijven van de dorre vlakten des doods. Met andere woorden, ze konden er niet tegen dat Gunnar te pas en te onpas zijn naderende einde erbij sleepte.

'Ik zal nooit vergeten,' had Gunnar tegen Devin Gilooly gezegd, 'dat jij de eerste was die vriendschap met me sloot toen ik hier net was komen wonen. Wil je helpen mijn kist te dragen?'

Devins ogen waren bijna uit hun kassen gerold, en hij was zo bleek geworden als een vampier. 'O-oké,' had hij gestameld. De volgende dag was hij niet alleen overgestapt naar een andere roman, hij was zelfs overgestapt naar een andere klas. Als het had gekund, was hij volgens mij nog naar een heel andere school overgestapt.

'In jouw cultuur ululeren ze toch voor de doden?' had Gunnar aan Hakeem Habibi-Jones gevraagd.

'Ululeren?' had Hakeem herhaald. 'Wat is dat?' Kennelijk waren met zijn gemengde achternaam alle traditities verlorengegaan.

Gunnar had het ululeren voorgedaan – een hoog, loeiend gejodel, wellicht bedoeld om de overledene in kwestie weer op te wekken. Het enige dat hij ermee had bereikt, was dat Hakeem het hazenpad had gekozen.

Sindsdien waren alleen Gunnar en ik nog over.

Ook nu, terwijl we zijn tuin stonden vol te pompen met gif, was ik bang dat Gunnar het zieltogende gras zou aangrijpen om weer over zijn dood te beginnen, alsof hij een ongewenste plantensoort was waarop de Almachtige Onkruidwieder het had gemunt.

Maar hij begon niet over zichzelf. In plaats daarvan begon hij over mij. En over zijn zus.

Ik wilde net een afzichtelijke struik uit zijn lijden gaan verlossen, toen Gunnar zei: 'Weet je, Kjersten is gek op je.'

Ik draaide me naar hem toe, waardoor ik zijn schoenen volspoot met verdelgingsmiddel. 'Oeps, sorry.'

Hij liet zich niet van de wijs brengen, veegde het spul gewoon weg met een oude lap. 'Het zou je niet moeten verbazen,' zei hij. 'De hele schoolkrant gaat nergens anders over.'

Ik haalde opgelaten mijn schouders op. 'Hij gaat niet alleen over die zoen. Die foto staat pas op pagina vier. En trouwens, het was niet eens een echte zoen – meer een vluchtig kusje. Of tenminste, zo had ze het volgens mij bedoeld.' Toch moest ik meteen aan Lexies woorden denken. 'Heeft… heeft Kjersten er tegen jou iets over gezegd?'

'Ze hoeft niks te zeggen – ik ken haar. Mijn zus zoent niet zomaar iedereen.'

Daar had je het – bevestiging van haar hoogsteigen broer! 'Wil je soms zeggen dat ze Gek op me is zoals in "Gek" met een hoofdletter G?'

Gunnar dacht even na. 'Eerder in cursief,' zei hij toen. Wat maar beter was ook, want met een hoofdletter G was het wel erg heftig voor me geworden.

'En… jij zit er niet mee, dat ze *gek* is op me?'

Gunnar ging verder met planten uitmoorden. 'Waarom zou ik daarmee zitten? Liever op jou dan op een of andere kwal, toch?'

Ik wist niet zeker of hij er *echt* niet mee zat, of dat hij maar deed alsof hij het goed vond. De enige vergelijkbare gebeurtenis uit het recente verleden had te maken met Ira's zusje van tien, die vorig jaar met Valentijnsdag op het speelplein gezoend was door een jongen van twaalf. Zodra Ira daar lucht van had gekregen, had hij een knokploeg samengesteld om die knul te terroriseren, en nu kan het wel eens zijn dat ze nooit meer een kus krijgt van wie dan ook.

Maar dit was een heel andere situatie. Ten eerste had Kjersten *mij* gezoend, niet andersom. Ten tweede was ze Gunnars *oudere* zus, dus hij zou waarschijnlijk niet de beschermer gaan uithangen.

'Ze is gek op je omdat je zo authentiek bent,' zei Gunnar. 'Je bent volkomen jezelf.'

Dat hoorde ik voor het eerst. Ik wist niet eens wat dat 'jezelf' precies inhield, dus hoe kon ik dat volkomen zijn? Maar als die zelf van mij iets was waar Kjersten op viel, vond ik het allang best. En over dat 'authentiek': hoe meer ik erover nadacht, hoe meer ik me realiseerde dat dat best bijzonder was. Bij ons op school heb je in wezen drie typen jongens: de aanstellers, de zwetsers en de sukkels. De aanstellers doen zich altijd anders voor dan ze zijn, tot ze vergeten wie ze in werkelijkheid zijn en ten slotte helemaal niemand meer zijn. De zwetsers hebben hersens die zijn gekrompen tot walnootformaat, ofwel door erfelijke aanleg ofwel veroorzaakt door de media. En de sukkels, nou ja, die vinden elkaar uiteindelijk in de smurrie op de bodem van de genenpoel, en geloof me, dat is geen prettig gezicht.

Degenen onder ons die buiten die drie categorieën vallen hebben het zwaar, want wij moeten de zaken voor onszelf uitdokteren – wat meer mogelijkheden oplevert voor persoonlijke groei én voor geestelijke stoornissen – maar hé, ware kunst komt voort uit lijden.

Dus Kjersten hield van 'authentiek'. Het probleem met authentiek is dat dat niet iets is wat je kunt proberen te zijn, want zodra je dat doet, ben je niet authentiek meer. Als je het mij vraagt, komt het grotendeels neer op onnozelheid. Op leuk zijn zonder te beseffen dat je leuk bent.

Of ik authentiek ben weet ik niet, maar aangezien ik doorgaans redelijk onnozel ben, was ik volgens mij al aardig op weg.

'En... wat vind jij dat ik moet doen?' vroeg ik, pronkend met mijn onnozelheid alsof het ineens een hele prestatie was.

'Haar mee uit vragen,' antwoordde Gunnar.

Deze keer spoot ik het verdelgingsmiddel in mijn ogen.

Een gouden tip: als het niet strikt noodzakelijk is, spuit dan geen verdelgingsmiddel in je ogen. *Draag een bril ter bescherming*, stond er in felrode letters op de verpakking – maar had ik daar aandacht aan besteed? Welnee. De vlammende pijn joeg Gunnars suggestie naar de achterkant van mijn brein, en de wereld werd een heel ver-afgelegen planeet.

Ik was een halfuur in de badkamer bezig om het gif uit mijn ogen te spoelen. Op de achtergrond dreunde Gunnar intussen beroemde citaten op over de therapeutische werking van pijn. Tegen de tijd dat de optische foltering was afgezwakt tot een vaag kloppen ach-ter mijn oogleden, voelde ik me alsof ik net wakker werd uit een narcose. Ik stapte de gang weer op, en wie kwam daar toevallig net de voordeur door?

Kjersten.

'Antsy! Hoi!'

Het kwam er volgens mij wat enthousiaster uit dan ze had ge-wild. Dat leek me een goed teken.

Toen nam ze me verbaasd op. 'Heb je gehuild?'

'Wat? O! Nee, dat komt van de onkruidverdelger.'

Nu nam ze me nog verbaasder op.

'Gunnar en ik waren de planten aan het uitmoorden.'

Blijkbaar had Kjersten een heel scala van gezichtsuitdrukkingen, als het om verbazing ging. 'Is dat… een hobby van je?'

Ik ademde diep in, zette mijn hersens in een lagere versnelling – een nog lagere – en probeerde het stofschaalproject zo uit te leggen dat het niet imbeciel of ronduit krankzinnig klonk. Dat lukte ken-nelijk, want de verbazing verdween.

'Antsy!' hoorde ik Mrs. Ümlaut vanuit de keuken roepen. 'Blijf je mee-eten?'

'Natuurlijk blijft hij mee-eten,' zei Kjersten met een grijns. 'Met zulke ogen kan hij niet achter het stuur kruipen.'

'Ik… eh… ik heb nog geen rijbewijs.'

Ze gaf me een speels zetje. 'Dat weet ik ook wel, het was maar een grapje.'

'O. Oké.' Dat zij oud genoeg was om auto te rijden en ik nog veel te jong, was een vernederend feit waar ik tot nu toe niet bij stil had gestaan. Terwijl ik het tot me door liet dringen, merkte ik dat ik rood aanliep, want mijn oren begonnen te gloeien.

Kjersten keek me aan en lachte. Toen boog ze zich dichter naar me toe en fluisterde: 'Ik vind je zo schattig als je onzeker bent.'

Waardoor ik nog onzekerder werd. 'Nou,' zei ik, 'als ik jou zie ben ik nergens meer zeker van, dus ik moet wel om op te vreten zijn.'

Pas toen ze weer lachte, besefte ik dat ik heel geestig had gereageerd. Wie had kunnen denken dat opgelatenheid zo charmant kon zijn? Groot applaus voor mezelf!

Vandaag stond er bij de Ümlauts gebraden kip op het menu – net zo onScandinavisch als hamburgers. Wel zat er nu ingemaakte rode kool bij, vermoedelijk van Zweedse oorsprong maar minder weerzinwekkend dan in geitenmelk gefermenteerde haring of zo.

We waren maar met zijn vieren; ook nu bleef de voor Mr. Ümlaut gedekte plek leeg, alsof hij de Heilige Geest was.

Het was een veel grotere beproeving om bij ze aan tafel te zitten dan die eerste keer. Toen was ik namelijk alleen maar paniekerig bezig geweest mezelf niet voor schut te zetten, voor het geval Kjersten op me zou letten. Maar nu ik zeker wist dat ze op me lette, was ik nog zenuwachtiger dan tijdens die toneelopvoering in groep vijf, toen ik van top tot teen in zwart gehuld uit een kies van papiermaché had moeten springen om al zingend en dansend een gaatje te verbeelden. Ik was alleen de tekst van het liedje straal vergeten, en omdat Howie die ochtend constant 'It's a small world' in mijn oor had lopen fluiten, was dat het enige nummer dat in me opkwam. Dus toen ik uit de kies was gesprongen, was ik in plaats van verlamd door plankenkoorts te verstarren, losgebarsten in gezang over een wereld vol vreugde en treurnis. Uiteindelijk had de pianist zich er maar bij neergelegd en ging hij met mijn liedje mee. Na afloop had het publiek voor me geklapt, waardoor ik alleen maar nog zenuwachtiger was geworden, en voordat ik het podium af had kunnen rennen, sloeg ik dubbel en kotste over de vleugel. Daarna had het instrument nooit meer zuiver geklonken, en ik had nooit meer een noot in een voorstelling hoeven zingen.

Zo voelde ik me ook ongeveer terwijl ik tussen de Ümlauts in zat. Want Kjersten mocht mijn onzekerheid dan nog zo schattig vinden, daar zou ze wel op terugkomen zodra ik door de combinatie van gebraden kip, ingemaakte kool en stress de dienschaal onder zou braken.

'Ik heb vandaag een consult gehad bij Dr. G,' kondigde Gunnar aan toen we net zaten te eten.

Zijn moeder zuchtte, en Kjersten schudde haar hoofd naar me.

'Ik wil niets horen over Dr. G,' zei Mrs. Ümlaut.

Gunnar nam een hap kip. 'Het kan toch ook goed nieuws zijn?'

'Dr. G heeft nóóit goed nieuws,' zei ze.

Het verbaasde me dat ze geen belangstelling had voor de toestand van haar zoon – en dat ze niet eens met hem mee was geweest naar de dokter – maar ja, met verdriet gaat iedereen anders om.

'Misschien heb ik toch meer tijd dan in eerste instantie is voorspeld,' zei Gunnar. 'Maar dan moet ik wel door experts op het vakgebied worden behandeld.'

Dat klopte niet helemaal met wat hij mij had verteld, maar ik begreep dat de communicatie hier uit nog meer lagen bestond dan dat er verkoopkanalen op een satellietschotel te ontvangen zijn – waar ik van mijn moeder trouwens niet meer naar mocht kijken sinds die keer dat ik de Ninja-matic foodprocessor had besteld. Al vermoedde ik dat de behandeling waar Gunnar het over had, meer zou gaan kosten dan twaalf gemakkelijk betaalbare termijnen van $19.99. Misschien lag het daaraan; misschien waren de ziekenhuisrekeningen die olifant in de kamer. Of olifanten, meervoud. De Ümlauts leken olifanten te fokken zoals mijn zusje hamsters fokte.

En alsof de sfeer al niet gespannen genoeg was, kwam er op dat moment een hele nieuwe kudde binnenstampen.

Mr. Ümlaut was thuis.

Er wordt vaak gepraat over 'probleemgezinnen'. Het is een term waaraan ik me erger, want je krijgt er het idee door dat er ergens op aarde een magisch gezin bestaat zonder problemen, waar ze allemaal dikke maatjes zijn met elkaar en waar niemand ooit iets schreeuwt wat hij niet meent, en waar scherpe voorwerpen nooit achter slot en grendel bewaard hoeven te worden. Nou, sorry hoor, maar zulke gezinnen bestaan niet. En mocht je soms buren hebben die het lichtende voorbeeld van eendracht lijken te zijn, geloof mij dan maar – dat zijn degenen die op een dag met hun SUV vol smokkelwapens worden aangehouden terwijl ze hun kinderen van de ene naar de andere voetbalwedstrijd rijden.

Eigenlijk is het hoogst haalbare nog een gezin waarin alle problemen, de grote en de kleine, op elkaar zijn afgestemd. Zoiets als een orkest vol valse instrumenten, maar stuk voor stuk met precies dezelfde vervorming, zodat je het nauwelijks hoort.

In het Ümlaut-orkest was de harmonie toch al ver te zoeken, en zodra Mr. Ümlaut de sleutel in het slot stak begonnen er overal in huis cimbalen te kletteren.

De voordeur ging open, en het gesprek aan tafel stokte abrupt. Ik wierp een blik op Gunnar, die naar zijn bord staarde. Ik keek naar Kjersten, die haar ogen op de klok richtte. En toen ik Mrs. Ümlaut opnam, zag ik alleen maar leegte.

Zonder iemand te begroeten kwam Mr. Ümlaut de keuken in en liep naar de koelkast om een glas met water te vullen. Hij zag mij zitten maar leverde geen commentaar.

'Je bent thuis,' zei Mrs. Ümlaut uiteindelijk, heel bizar en overbodig.

Hij nam een slok en keek naar de schalen voor ons. 'Kip?'

Mrs. Ümlaut stak haar arm uit en trok zijn stoel naar achteren. Haar man nam plaats.

Zo onopvallend mogelijk bestudeerde ik hem. Hij was lang, had dunner wordend blond haar, droeg een kleine bril en had de brede kaken die ook Gunnar begon te ontwikkelen. Hij straalde iets vermoeids uit dat niets met slaapgebrek te maken had, en net als bij

Gunnar was van zijn pokergezicht niets af te lezen. Daar werd ik nog het meest onrustig van. Kijk, bij ons thuis dragen we alle vijf het hart op de tong. Als wij ergens mee zitten, is de kans groot dat iemand anders het nog eerder doorheeft dan jijzelf. Maar deze man droeg zijn hart in een stevig vergrendelde kluis.

'Ik geloof niet dat wij elkaar al kennen,' zei hij tegen me.

Zijn kille grijze ogen gaven me het gevoel dat ik in de eindronde van een quiz zat en het antwoord niet wist.

'Antsy, dit is mijn vader,' zei Gunnar.

'Aangenaam,' mompelde ik, en het werd weer stil terwijl iedereen doorging met eten.

Ik weet me nooit goed raad met stiltes, dus meestal neem ik het op me er een eind aan te maken. Mijn broer zegt dat ik net zo'n zuurstofmasker ben dat omlaag komt zakken als een vliegtuig luchtdruk verliest. 'Er wordt even gezwegen, en Antsy tuimelt uit het plafond om de ruimte te vullen met gebakken lucht tot alles weer normaal is.'

Maar stel dat het nooit meer normaal wordt, en dat je dat weet?

Mijn mond ging open, en er begonnen woorden uit te rollen alsof de geest van de dorpsgek me als medium gebruikte. 'Net terug van de zaak? Ja, mijn vader moet 's zaterdags ook altijd werken, we hebben een restaurant, dus hij gaat juist aan de slag wanneer andere mensen aan tafel schuiven, en mensen eten tegenwoordig de hele dag door, al is dat natuurlijk anders dan advocaat zijn, dat zei Gunnar toch dat u was, hè, goh, advocaat, daar moet je vast flink voor blokken, jarenlang studeren, net als voor arts, hè, al heeft u natuurlijk niet op lijken hoeven oefenen.'

Pas toen ik duizelig werd besefte ik dat ik alles er in één adem uit had gegooid. Ik had beter eerst mijn eigen zuurstofmasker op kunnen zetten voordat ik anderen te hulp schoot, zoals je hoort te doen.

Gunnar gaf nog steeds geen kik – hij staarde me alleen maar aan zoals je in het voorbijrijden naar een autowrak langs de kant van de weg zou staren.

Het was Kjersten die eindelijk weer iets zei. 'Hij komt niet van zijn werk,' merkte ze haast geluidloos op.

'Nog wat kip?' vroeg Mrs. Ümlaut aan me.

'Ja, graag, dank u wel.' Ik probeerde vlug mijn waffel dicht te metselen met voedsel, maar zelfs dat kon me er niet van weerhouden door te tetteren. 'Een concurrent verderop in de straat heeft een recept van mijn vader gestolen en nu zegt hij dat hij ze voor de rechter zou moeten slepen, misschien kan hij u als advocaat nemen, of kunt u hem in elk geval laten weten of het wel zin heeft om naar de rechter te gaan, want het schijnt vaak meer te kosten dan het oplevert, en ze kunnen ook nog eens veertienduizend keer in beroep gaan, en dan blijft er helemaal geen cent over, al kan ik het natuurlijk mis hebben, zoiets weet u vast beter dan ik, hè?'

Als hij geïrriteerd of spottend had gereageerd had ik me nog beter op mijn gemak gevoeld. 'Dat soort zaken doe ik niet,' zei hij alleen maar toonloos tussen twee happen door.

Gunnar bleef me met zijn autowrak-uitdrukking aanstaren, hoewel hij nu een hele kettingbotsing leek te zien.

'Iets drinken, Antsy?' vroeg Mrs. Ümlaut.

'Ja, graag, dank u wel.'

Ik klokte het grote glas melk dat ze me aangaf haastig achterover – niet omdat ik zo'n dorst had, maar omdat ik niet kon praten zolang ik slikte, en misschien zou de drang om onzin uit te kramen dan net als de hik verdwijnen. Tenzij ik ineens bleek te kunnen buikspreken en de woorden er via iemand anders alsnog uit zouden komen.

Het werkte. Toen het glas eenmaal leeg was, was mijn tekst verzopen. De geladen stilte keer weer terug; er werd niet eens oogcontact gemaakt, en zeker niet met Mr. Ümlaut. Luisterend naar het tinkelen van het bestek en het tikken van de klok zat ik de maaltijd uit.

Ten slotte stootte Gunnar me aan. 'We gaan door met de stofschaal.'

Ik was nog nooit zo blij geweest van tafel te mogen, want vanavond hing er echt een stemming in huis alsof er iemand op sterven lag.

Het was inmiddels donker, en het enige licht in de tuin kwam van het peertje op de achterveranda. We spoten verder tot de vaten herbicide allebei leeg waren. Gunnar had de stilte van binnen meegebracht naar buiten. Ik werd er gestoord van, want net als bij zijn vader had ik geen idee wat hij voelde of dacht – en hoewel ik me heilig had voorgenomen er niet over te beginnen, kon ik niet weg zonder ernaar te vragen. 'Een gokje – er is iets mis met je vader.'

'Een gokje?' herhaalde Gunnar lachend. 'Die is goed.'

Dat was alles wat hij losliet. Hij zei niet dat ik op moest donderen, dat ik me met mijn eigen zaken moest bemoeien. Mijn opmerking werd gewoon weggewapperd.

Hij keek vluchtig naar de instructies op het vaatje met verdelgingsmiddel. 'Hier staat dat de wortels over vijf dagen afgestorven zijn, en dat je de boel er dan zo uit kunt trekken.'

'Als je tot volgend weekend wilt wachten, kunnen we ook twee extra levensdagen aan de planten vermaken,' zei ik, en ik lachte om mijn eigen grapje.

'Dat is niet leuk.'

'Sorry.'

Om eerlijk te zijn had ik geen flauw idee waar ik nog wel of niet om mocht lachen.

De sfeer werd geladen, dus ik probeerde te redden wat er te redden viel. 'Hé, trouwens, volgens mij kan ik op school nog wel wat maanden voor je regelen. Als je dat nog wilt.'

'Waarom zou ik het niet willen?' vroeg hij. 'Zoals Nathaniel Hawthorne heeft gezegd: "Het bijeenschrapen van waardevolle momenten is het voornaamste streven van de mens."'

Hij deed er altijd zo nuchter over dat je bijna zou vergeten wat er met hem aan de hand was. Alsof zijn naderende einde niet meer dan een klein ongemakje was.

'Ben... ben je wel eens bang?' vroeg ik aarzelend.

Het duurde een poosje voor hij antwoord gaf. 'Ik ben zo vaak bang,' zei hij. Toen keek hij naar zijn onvoltooide grafsteen midden in de zieltogende tuin. 'Nee, er zit niks anders op – ik zal opnieuw moeten beginnen.'

Voordat ik wegging liep ik nog even naar boven. Kjersten zat achter haar bureau met haar neus in de lesboeken. Blijkbaar was ze het soort leerling dat op zaterdag huiswerk deed. Ik klopte, ook al stond de deur open, want we worden geboren met het instinct dat zegt dat je niet zonder toestemming de kamer van een meisje binnengaat, en mocht je al toestemming krijgen, dan loop je niet te ver door – tenzij je natuurlijk familie bent van elkaar, of haar ouders er niet zijn.

'Hoi,' zei ik. 'Waar ben je mee bezig?'

'Chemie.'

'Aan het bestuderen of er chemie is tussen ons?'

Ze lachte. Eigenlijk was het prachtig, dat het-is-zo-schattig-als-je-onzeker-bent-gedoe. Ik had een soort vrijbrief om alles te zeggen wat ik nooit tegen een meisje had durven zeggen, want hoe meer ik me geneerde, hoe meer het in mijn voordeel werkte.

Ze draaide haar stoel een beetje naar me toe terwijl ik de drempel over stapte. Nog steeds zwevend op de dampen van mijn chemie-opmerking besloot ik dat ik best op haar bed durfde te gaan zitten… tot ik besefte dat ik dan geen woord meer uit zou kunnen brengen, want de zin 'o help ik zit bij Kjersten op bed' zou door mijn hoofd rond gaan galmen als zo'n mantra van Christina, en dan zou ik misschien opstijgen, en daar zou Kjersten zich vast lam van schrikken.

Dus in plaats daarvan bleef ik wat onbeholpen om me heen staan kijken.

'Leuke kamer,' merkte ik op. Dat was ook zo: de inrichting zei veel over haar. Er hing een concertposter van NeuroToxin aan de muur, naast een kunstwerk dat zelfs ik herkende als een Van Gogh. De schuifdeuren van haar kast had ze duidelijk zelf beschilderd. Tennissende engelen. Tenminste, het leken mij engelen. Het hadden ook zeemeeuwen kunnen zijn – ze liep niet bepaald over van talent.

'Mooie schildering,' zei ik.

Ze grinnikte. 'Je vindt het helemaal niet mooi, maar lief dat je het zegt.'

Zoals ik al zei, mijn emoties worden de ether in gezonden als een podcast.

'Schilderen is een hobby van me, maar ik ben er niet zo goed in,' zei ze tegen me. 'Al is dat niet erg, want als ik er wel goed in was, zou ik me constant druk maken of ik wel goed *genoeg* was. Nu kan ik ervan genieten en hoef ik me geen zorgen te maken over wat anderen ervan denken.'

'In dat geval,' zei ik, 'vind ik die schildering pas écht mooi. Ik wou dat ik dingen durfde te doen waar ik niks van bak.'

Ze nam me onderzoekend op. 'Zoals wat?' vroeg ze.

Nu was ik in het nauw gebracht, want er was zo veel om uit te kiezen. Ik moest denken aan haar debatclub. 'Spreken in het openbaar, daar ben ik geen held in.'

'Dat is een kwestie van oefenen. Ik kan het je wel leren.'

'Oké, waarom niet?' Ik werd meteen enthousiast bij het vooruitzicht haar als mentor te hebben, ook al was het even onwaarschijnlijk dat ik ooit een publiek toe zou spreken als dat engelen aan tennis deden. Of zeemeeuwen. 'Dan beloof ik dat mijn toespraken nog beroerder worden dan jouw schilderingen,' zei ik tegen haar.

Zij lachte, ik lachte, en toen werd het lastig.

'Dus...' zei ik.

'Dus...' zei zij.

Wat er daarna gebeurde had veel weg van een sprong van de tienmeterplank boven het Olympisch zwembad, dat hier was aangelegd toen iemand van gemeentewerken een slok te veel op had gehad en daadwerkelijk had geloofd dat de zomerspelen naar Brooklyn zouden komen. De vijf minuten die ik daar een paar jaar geleden op het randje had gestaan, hadden uren geleken. Mijn vrienden hadden toe staan kijken. Uiteindelijk had ik mezelf er alleen maar toe kunnen dwingen om te springen door me voor te stellen dat ik een fictieve ultracoole versie van mezelf was. Op die manier had ik mijn moord en brand schreeuwende overlevingsinstinct wijs kunnen maken dat ik het niet zelf was die de afgrond in verdween.

Terwijl ik tegenover Kjersten stond groef ik paniekerig in mijn binnenste. De ultracoole Antsy bleek ergens in mijn hoofd kalmpjes aan een cappuccino te zitten nippen. Ik sleurde hem tevoorschijn.

'Ik vroeg me af of je een keer met me uit zou willen,' hoorde ik mezelf zeggen. 'Naar de film, of uit eten, een reisje naar Parijs, iets in die trant.'

'Parijs lijkt me wel wat,' antwoordde Kjersten. 'Vliegen we wel eerste klas?'

'We gaan met een privéjet, voor minder doe ik het niet.' Ik stond nog met mijn oren te klapperen van mijn eigen geestigheid, toen de ultracoole Antsy rechtsomkeert maakte naar Starbucks, en ik mooi in mijn uppie de brokstukken van zijn gladde praatjes kon opruimen.

'Naar de film is ook gezellig,' zei ze.

'Te gek, eh... ja... eh... oké.' Ik was die vent die een halter van vijfhonderd pond optilt en zich dan realiseert dat hij niet weet hoe hij hem weer omlaag kan krijgen zonder te worden geplet. 'Naar de bioscoop, verstandig,' zei ik tegen haar. 'In het donker kan niemand zien dat we bij elkaar horen.'

'Waarom zou niemand dat mogen zien?'

'Ach, je weet wel – omdat jij een stuk ouder bent en zo.'

'Antsy,' zei ze op een berispende toon waardoor ze ook echt ouder klonk, 'dat doet er voor mij helemaal niet toe.'

'Nou, fijn,' zei ik, en ik glunderde al bij het idee samen met Kjersten naar binnen te lopen. 'En trouwens, een afspraakje voor de film, reken maar dat ik daar onzeker van word.'

'Dat hoop ik maar,' zei ze met een grijns. Waardoor ik uiteraard rood werd, waardoor zij uiteraard nog breder ging grijnzen.

Het ging zo soepel. Alles zat mee – behalve dat haar vader vreemd deed en haar broer nog maar kort te leven had.

Kennelijk begreep ze wat er door me heen ging, want haar glimlach verdween en ze keek van me weg. 'Sorry dat mijn vader er vanavond bij was.'

Ik haalde mijn schouders op, hield me van de domme. 'Hij heeft niks gedaan.'

'Hij is thuisgekomen,' zei ze. 'Tegenwoordig is dat erg genoeg.'

Hoewel ik brandde van nieuwsgierigheid, durfde ik niet te vragen wat ze bedoelde, voor het geval ze er liever niet over wilde praten. Ik keek naar de schildering, gaf haar de tijd om haar gedachten op een rijtje te zetten.

'Hij was vennoot bij een advocatenfirma,' zei ze uiteindelijk, 'maar die is een paar maanden geleden uit elkaar gevallen. Sindsdien heeft hij niet meer gewerkt.'

'Maar hij is er nooit – wat doet hij dan de hele dag? Solliciteren?'

En Kjersten antwoordde: 'Dat weten we niet.'

Na mijn gesprekje met Kjersten werd ik op weg naar huis twee keer
bijna platgereden doordat ik met mijn hoofd in een alternatief universum zat. Alles bij de Ümlauts neigde naar het surrealistische: de
manier waarop ze met Gunnars ziekte omgingen, het Mysterie van de
Verdwijnende Vader – zelfs het feit dat Kjersten met me uit wilde was
bizar, hoewel het me wat dat betrof niet bizar genoeg kon worden.

Toen mijn eigen vader die avond thuiskwam ging er geen ter-
reuralarm af zoals bij de Ümlauts. Al kwam dat voornamelijk doordat op mij na iedereen al in bed lag.

'Ha, Antsy,' zei hij terwijl hij de keuken in kwam sjokken. 'Jij
bent nog laat op.'

'Ik ben alleen even naar beneden gekomen om iets te drinken,'
zei ik tegen hem, ook al had ik urenlang van de ene kamer naar de
andere lopen banjeren met een schedel die op knappen stond van het
gepieker over Kjersten en Gunnar.

We gingen samen aan tafel zitten. Pa haalde wat kliekjes uit de
koelkast, en hoewel ik geen honger had nam ik ook wat. Eigenlijk
was het raar dat hij de hele dag in een restaurant stond en dan thuis
restjes moest eten.

'Ik heb gehoord dat die vriend van je ernstig ziek is,' zei hij. 'Wat
naar.'

'Ik wist niet dat je dat wist,' zei ik verbaasd.

'Je zusje houdt me overal van op de hoogte.'

Ik zag dat hij iets zinvols wilde zeggen. Iets aardigs. Maar telkens wanneer hij zijn mond opendeed, werden de woorden lamge-
legd door de vermoeidheid en kwam er alleen maar een geeuw uit,
waardoor ik ook moest geeuwen.

We waren allebei te slaperig om de vaat nog in de machine te zetten, dus we lieten alles in de gootsteen staan en zeiden elkaar welterusten.

Zo ging het steeds vaker tussen ons – veel gapen en weinig praten. Voor mijn vader was het restaurant zoiets als het gras in Gunnars achtertuin. Het had alles overwoekerd. Zelfs op maandag, zogenaamd zijn vrije dag, was hij ermee bezig. Dan deed hij de belastingen, of hij ging naar de vismarkt om een voorsprong te hebben op de chique zaken in Manhattan. Het beviel me geloof ik beter toen hij nog loonslaaf was. Een rotbaan, maar in zijn vrije tijd ondernam hij van alles. Nu had hij in plaats van een vaste aanstelling met een vast salaris een eigen bedrijf en een 'roeping' – alsof het voederen van Brooklyn een heilige missie was.

Terwijl ik onder de wol kroop, dacht ik aan de akelige sfeer die met Mr. Ümlauts komst als lekkend gas het huis was binnengestroomd. Wat ik ook aan te merken had op mijn eigen familie, hier hing in elk geval geen grafstemming.

De volgende ochtend kreeg ik in de bus op weg naar school een telefoontje van Lexie.

'Ik wil even zeker weten dat je vrijdag de negentiende vrijhoudt,' zei ze.

'Even navragen bij mijn evenementenorganisator.' Ik wierp een blik op de dikke vent die naast me zat. 'Ja, dan heb ik nog een gaatje.' Als het iets werd met Kjersten, besefte ik tegelijk glunderend, zou ik binnenkort misschien écht een agenda moeten gaan bijhouden voor onze afspraakjes.

De negentiende was de eerste dag van de kerstvakantie, wanneer rijkelui afreizen naar exotische oorden waar ze een bloedhekel hebben aan Amerikanen. En ja hoor, daar had je het al. 'Ik moet tijdens de feestdagen met mijn ouders mee naar de Seychellen,' zei ze, en ze voegde er 'alweer' aan toe, alsof ik me minder achtergesteld zou voelen als ze zich geneerde voor haar luxe uitspatting. 'De laatste keer dat ze de moeite hebben genomen me op te zoeken was afgelopen zomer, dus ik kan er niet onderuit – maar voordat het zover is, gaan we nog een groot avontuur beleven met mijn opa.'

Het signaal viel telkens weg – het enige dat ik hoorde was iets over een team van technici en een hoop stalen kabels.

'Klinkt leuk,' zei ik tegen haar. Ik had toch niks anders te doen. Met het openen van *Paris, Capisce?* was het woord 'vakantie' bij ons uit het vocabulaire geschrapt.

Nu begon ze over de werkelijke reden waarom ze me belde. 'O, tussen twee haakjes, ik ga binnenkort met Raoul in de zaak eten, en jij bent ook uitgenodigd.'

Met 'de zaak' bedoelde ze Crawley's, het eerste restaurant van haar opa. Met 'jij bent ook uitgenodigd' kon ze van alles en nog wat hebben bedoeld.

'In mijn eentje?' vroeg ik.

'Nee, je mag iemand meenemen als je wilt. Een meisje misschien?'

Het was ineens heel duidelijk wat er achter dat 'jij bent ook uitgenodigd' schuilging. 'Goh, een diner in een vijfsterrentent, je maakt er werk van. Is het niet eenvoudiger om zo'n elektronisch zendertje door mijn oor te schieten voordat je me loslaat in het wild?'

Lexie snoof.

'Geef het nou maar toe – je wilt er het liefst met je neus bovenop zitten.'

Ze ontkende het niet maar ging gewoon door met haar agressieve verkoopmethoden. 'Zou je geen indruk maken op hoeheetzeookweer als je haar voor jullie eerste afspraakje op kreeft trakteert?'

'Hoe weet je of het ons eerste afspraakje is?'

'Niet dan?'

'Misschien wel, misschien ook niet.'

Tot mijn voldoening snoof ze weer.

'Kom op,' zei ze, 'een gratis maaltijd in een van de duurste zaken van Brooklyn, dat sla je toch niet af?'

'Oei! Je probeert me om te kopen,' plaagde ik. 'Je gaat met de dag meer op je opa lijken.'

'O, hou toch op!'

'Wees nou maar eerlijk – je wilt koste wat kost weten wat voor meisje mij bij de kluisjes zou zoenen.'

Eindelijk gaf ze het toe. 'Nou ja, vind je het gek? En bovendien, ik wil je voorstellen aan Raoul, ik vind het belangrijk dat je hem leert kennen.'

'Waarom? Je hebt mijn goedkeuring toch niet nodig om met hem om te gaan?'

'Ach,' zei ze na een korte aarzeling, 'ik geef jou de mijne, als jij mij de jouwe geeft.'

Lexie had gelijk: ik was niet in staat de uitnodiging af te slaan. Ze had me een worst voorgehouden, en we wisten allebei dat ik toe zou happen. Niet omdat ik er geld mee zou besparen, maar omdat ik Kjersten zo graag wilde imponeren.

Worstelend met het idee op stap te gaan met zowel een ex-vriendin als een aanstaande vriendin – om nog maar te zwijgen over een jongen die klakte – arriveerde ik op school. Ik was zo verstrooid dat ik twee keer terug moest naar mijn kluisje omdat ik spullen was vergeten, waardoor ik te laat de les binnenkwam. Nog voordat ik kon gaan zitten, overhandigde de leraar me een geel strookje waarop stond dat ik me voor niet nader genoemde misdrijven bij de directeur moest melden. Bij het zien van het papiertje leunden anderen in een reflex opzij.

Op de bovenbouw was dit de eerste keer dat ik naar het kantoor van de directeur werd gestuurd. Ik had geen idee wat ik kon verwachten, wat er anders zou zijn dan op de onderbouw. Duurdere stoelen? Een minibar? Ik was niet bang, zoals toen ik nog jonger was – ik had eerder de pest in omdat straf me tijd zou gaan kosten.

Mr. Sinclair deed zijn best afschrikwekkend over te komen, maar hij wist het gewoon niet te brengen. Het was zijn haar dat hem volstrekt ongeloofwaardig maakte. Iedereen noemde het zijn 'magische dwarskapsel'. Als je hem recht aankeek – zoals je in de spiegel naar jezelf kijkt – leek hij daadwerkelijk haar te hebben. Maar als je hem vanuit een andere hoek zag, bleek dat hij nog maar twaalf extreem

lange plukken had, strategisch heen en weer geweven over een schedel die de menselijke versie van de stofschaal was.

Vandaag vond ik het nog moeilijker om hem serieus te nemen,
want terwijl ik zijn kantoor binnenstapte zag ik dat zijn stropdas
over zijn schouder hing. Er is maar één reden waarom een man zijn
stropdas over zijn schouder hangt. Als je er nu nog niet uit bent,
verdien je ook geen uitleg.

Dus daar zat ik, en ik probeerde in te schatten wat meer problemen zou opleveren: hem erop wijzen dat zijn stropdas over zijn
schouder hing en hem daarmee in verlegenheid brengen, of er niks
over zeggen, wat het nog gênanter zou maken als hij het zelf eenmaal in de gaten kreeg. Hij zou het hoe dan ook op mij afreageren,
dus dit was een verlies-verliessituatie. Tot overmaat van ramp kon
ik mijn grijns niet bedwingen.

Hij schonk een glas prikwater voor zichzelf in en bood mij ook
wat aan, maar ik schudde alleen mijn hoofd.

'Mr. Bonano,' begon hij op zijn ernstigste directietoon, 'weet je
waarom ik je hierheen heb laten komen?'

Ik kon mijn blik niet van zijn stropdas losrukken. Ik gniffelde en
probeerde het geluid te vermommen als een kuchje. Ik voelde een
giechelaanval opborrelen en bad dat er voor dat kon gebeuren een
lamp van het plafond zou storten zodat ik bewusteloos werd geslagen – dat zou medelijden opwekken.

'Ik vroeg of je weet waarom je hierheen bent gestuurd.'
Ik knikte.

'Mooi. Ik wilde het eens met je over Gunnar Ümlaut hebben.'
'Uw das hangt over uw schouder,' zei ik.

Een moment lang zag ik hem denken: zal ik hem gewoon zo laten
hangen en beweren dat het bewust is? Maar uiteindelijk zuchtte hij
en gooide de das naar voren... pal in het glas prikwater.

De tranen prikten al in mijn ogen omdat ik me zo zat in te houden, en toen zei hij ook nog: 'Ach, ik heb er toch nooit veel aan gevonden,' en hij trok hem los en smeet hem in de prullenbak.

Dat was het laatste zetje voor me. Giechelaanval was zacht uitgedrukt; het werd een ongeremde gier- en bulderpartij; zo een waarvan je kramp in je buik krijgt en je benen na afloop trillen.

'Hahahahahahahasorry!' loeide ik. 'Hahahahahaikkanerniksaandoenhahahaha!'

'Ik wacht wel even,' zei de man die de macht had me te schorsen.

Ik spande al mijn spieren in een poging te stoppen, maar dat hielp niet. Ten slotte stelde ik me mijn moeders gezicht voor wanneer ze erachter kwam dat geen enkele openbare school in New York me nog wilde aannemen omdat ik de directeur had uitgelachen, en bij dat beeld kreeg ik net zo'n koude douche als zijn stropdas daarstraks had gekregen.

'Ben je klaar?'

Ik haalde diep adem. 'Ja, ik geloof het wel.'

Terwijl hij wachtte tot de laatste stuiptrekkingen waren verdwenen, goot hij zijn glas leeg in de bonsai die op de rand van zijn bureau stond. 'Een gezonde dosis zelfspot is nooit weg.'

Tot mijn verbazing riep zijn onverstoorbare houding ineens respect bij me op.

'Hoeveel uur?' vroeg ik, want ik wilde dit niet langer rekken dan nodig was.

'Wat bedoel je precies?'

'Ik moet toch nablijven? Om dat gedoe met Gunnar. Ik wil alleen weten hoeveel uur. En moet ik ook op zaterdag komen? Moeten mijn ouders het per se weten, of kunnen we het onder ons houden?'

'Ik geloof niet dat je het begrijpt, Anthony.' En toen glimlachte hij naar me. Het is niet best als de directeur naar je glimlacht.

'Dus... ik word geschorst? O, toe nou, ik heb niemand kwaad gedaan – het is maar papier. Ik probeerde hem gewoon een beetje op te beuren, omdat hij doodgaat en alles. Hoeveel dagen?'

'Je krijgt geen straf,' zei Sinclair. 'Ik heb je hierheen laten komen omdat ik zelf ook een maand wil doneren.'

Ik kon hem alleen maar aangapen. Nu was het zijn beurt om mij uit te lachen, maar hij schoot niet in een kramp zoals ik, hij grinnikte alleen maar. 'Eerlijk gezegd,' zei hij, 'ben ik diep onder de indruk van wat je in gang hebt gezet. Het geeft blijk van een mate van betrokkenheid die ik hier maar zelden meemaak.'

'Dus... u wilt dat ik een contract voor u opstel?'

'Voor mij, en voor de secretaresses op de administratie – en voor Mr. Bale.'

'De beveiliger? Wil die ook een maand geven?'

'Het is een schoolbreed fenomeen geworden, Anthony. Die arme jongen boft maar met een vriend als jij.' Hij gaf me een lijst namen van mensen voor wie ik formulieren moest uittikken.

Ik was te verbouwereerd om nog veel zinnigs uit te brengen. Op weg naar de deur wees ik naar de prullenbak. 'U moet die das houden,' zei ik tegen hem. 'Gooi die gele met dat krullerige motief maar weg. Dáár lacht iedereen zich wild om.'

Hij keek me aan alsof ik hem alvast zijn kerstcadeau had gegeven. 'Dank je wel, Anthony. Heel fijn dat je zo eerlijk bent.'

Ik vertrok met vijf nieuwe donateurs op zak – en het rare, griezelige gevoel dat je krijgt als je beseft dat de schooldirecteur je bloed niet kan drinken.

Als vervolg op zijn toespraak over het schoolbrede fenomeen stond Sinclair erop dat ik mijn opwachting maakte tijdens het ochtendnieuws. Het doneren van maanden moest officieel beleid worden.

Die uitzendingen bij ons zijn eigenlijk een giller. Ik bedoel, we hebben allerlei videoapparatuur, maar niemand kan ermee omgaan. Het meisje dat presenteert dreunt alles op van papier, in een tempo alsof ze het alfabet nog niet onder de knie heeft. En laten we de jongen niet vergeten die de gewoonte heeft tijdens de opnamen in zijn kruis te krabben als hij nerveus is – en hij is nerveus zolang hij in de lucht is. Af en toe levert Ira een grappig filmpje in, maar de laatste tijd is er weinig de moeite van het bekijken waard.

'Lees je tekst maar gewoon op van de kaartjes,' zei de cameratechneut tegen me, maar zoals ik al heb verteld staat spreken in het openbaar voor mij gelijk aan door vleesetende mieren verslonden worden.

Nu ik zelf een aankondiging heb gedaan en uit eigen ervaring weet waarom die anderen altijd als imbecielen overkomen op het scherm, heb ik diepe bewondering voor ze.

'Hallo, ik ben Anthony Bonano en ik wil jullie iets vertellen. Zoals de meesten hier inmiddels weten is bij onze medeleerling Gunnar Ümlaut de diagnose systemische pulmonale monoxie gesteld, een zeldzame dodelijke ziekte, pauze... dus ik wil jullie vragen, wijs naar camera... om jullie hart te laten spreken en als symbolisch gebaar een maand van je leven aan hem te doneren, om hem te laten merken dat we met hem meevoelen. En in ruil daarvoor krijg je een T-shirt waar "Gunnars Tijdskrijgers" op staat. Serieus? Is er een T-shirt van gemaakt? Gaaf! Het doel is zoveel mogelijk tijd te in te zamelen. Denk erom: "Jo jo jo, geef een maand cadeau." Sorry, ik ben even weg om de mongool die dit heeft verzonnen een schop voor zijn reet te geven. O nee, zeg ik nou reet op TV?'*

De Kruiskrabber, de Opdreuner en nu dus ook de Raaskaller.

Het barstte al los voordat ik naar de volgende les kon komen. In de gang werd ik aangeklampt door scholieren die er niet mee leken te zitten hoe ik tijdens de uitzending had zitten stuntelen. Ze wilden een donatie doen. Iedereen had er zo zijn eigen redenen voor. Er was een jongen bij die er indruk mee wilde maken op zijn vriendinnetje; er was een meisje bij dat hoopte dat ze zo in het populaire kliekje zou worden opgenomen. Eigenlijk had ik geen zin om al mijn vrije uren achter de computer contracten te gaan zitten opstellen, maar ik had het zelf in gang gezet, dus ik kon er moeilijk ineens de brui aan geven. Bovendien had het wel iets om zo in trek te zijn; het gaf me een gevoel van macht. De Meester des Tijds was ik.

Ik besloot zelfs dat ik me erop moest gaan kleden, een stropdas moest gaan dragen, net als de basketbalploeg op de dag van de grote finale. Dus ik kocht er eentje met een maffe opdruk van smeltende klokken, ontworpen door een overleden kunstenaar die Dolly heette. Oké, ik geef het toe, ik begon het hoog in mijn bol te krijgen – zoals toen Wendell Tiggor me een maand voor Gunnar aanbood.

'Jij kunt niet meedoen,' legde ik hem uit, 'want hij heeft tijd van lévende mensen nodig, niet van hersendode.'

Het punt is dat Tiggor beroemd is om zijn slappe tegenzetten, zoals: 'O ja? Nou, als ik hersendood ben, dan ben jij een stomme stomkop.' (Soms voelde degene die hij wilde beledigen zich uit medelijden zelfs gedwongen hem een rake reactie in te fluisteren.)

Maar die dag probeerde Tiggor niet eens om me terug te pakken. Hij trok alleen maar een pruillip en droop af. En waarom? Omdat de Meester des Tijds had geoordeeld, en hij onwaardig was bevonden.

Wat er vervolgens gebeurde, nou ja, ik zou Skaterdud natuurlijk de schuld kunnen geven, maar in wezen kon hij er niks aan doen – niet echt. Ik wijt het aan het Rusteloze-Recept-syndroom. Dat is een uitdrukking die mijn vader ooit heeft verzonnen.

Het was ongeveer een maand voordat het restaurant werd geopend, en hij was bezig te bedenken wat er op het menu zou komen te staan. Voor het eerst in zijn leven zou hij de recepten die hij tot dan toe in zijn hoofd had opgeslagen allemaal moeten uitschrijven.

Hij en mijn moeder stonden samen in de keuken het ene gerecht na het andere klaar te maken. We deelden de schalen rond in de straat, want zelfs Frankie kreeg niet het hele assortiment weg. Ma had een jaar daarvoor een Franse kookcursus gevolgd, nadat ze eindelijk had toegegeven dat mijn vader de beste Italiaanse kok was in huis. Het was haar manier om een nieuw, eigen smaakpapillenterritorium af te bakenen. Ze hadden intussen allerlei Frans-Italiaanse schotels verzonnen, maar die avond moest pa haar steeds beletten extra ingrediënten toe te voegen.

'Weet je wat het probleem is met je moeder?' zei hij tegen me terwijl ze in de pannen stonden te roeren. Inmiddels wist hij wel beter dan haar rechtstreeks te bekritiseren. Het moest altijd worden teruggekaatst via een derde, zoals televisieprogramma's uit China wordt teruggekaatst via een satelliet. 'Ze lijdt aan het Rusteloze-Recept-syndroom.'

Ma wierp een sarcastische 'o, daar gaan we weer'-blik in mijn richting, die ik theoretisch zou doorzenden naar mijn vader aan ons fornuis ergens in Peking.

'Het is toch zo! Met wat voor gerecht ze ook bezig is, ze kan het niet laten – ze moet en zal er iets aan veranderen.'

'Moet je hem nou horen! Alsof hij niet precies hetzelfde doet!'

'Ja, maar ik weet waar de grens ligt. Ik laat het recept in zijn waarde. Maar die moeder van je heeft iets helemaal in de vingers – en de keer daarop moet ze er per se iets bij gooien wat er niet in hoort. Denk maar aan die marinarasaus met whisky.'

Toen hij daarover begon schoot ik in de lach. Ma had er zo veel sterke drank doorheen gegooid dat we allemaal hadden zitten tollen. Het is een dierbare herinnering die ik op een dag zal delen met mijn kinderen en/of mijn therapeut.

Eindelijk draaide ze zich naar hem toe om hem rechtstreeks aan te spreken. 'Nou en – ik had de alcohol niet genoeg laten verdampen – wat zou het? Ik had het toevallig wel op het Food Channel gezien.'

'Waarom trouw je dan niet met het Food Channel?'

'Misschien doe ik dat ook wel.'

Ze keken elkaar aan, deden alsof ze kwaad waren, en toen stak pa zijn hand uit en kneep in haar bil, ma grijnsde en greep naar die van hem, en daarna werd het zo'n zedeloze toestand van ouderlijke genegenheid dat ik het toneel moest verlaten.

Ik geloof dat ik het meest op mijn vader lijk, maar wat dit betreft ben ik net mijn moeder. Zelfs wanneer een recept tot in de puntjes is geperfectioneerd, kan ik het niet laten er iets aan te veranderen.

Met nog zo'n twaalf contracten om uit te werken – allemaal enigszins verschillend – probeerde ik die dag zo snel mogelijk van school weg te komen voordat ik werd aangeklampt door nog meer mensen die wat tijd van hun ellendige bestaan af wilden schrapen.

Onderweg liep ik Skaterdud tegen het lijf. In eerste instantie zoefde hij me op zijn board voorbij alsof het maar toeval was, maar hij maakte meteen weer rechtsomkeert. Pas nadat hij me compleet in verwarring had gebracht met zijn achtdelige handdruk begon hij te praten.

'Culturele geografie, man,' zei hij hoofdschuddend – dat was een les die we samen volgden. 'Ik kan er gewoon niet bij. Hoe zit het nou – is het cultuur? Is het geografie? Je weet waar ik heen wil, hè?'

'Het skaterrein?' raadde ik. Goed, het was de hele winter dicht, maar dat had Skaterdud nooit eerder tegengehouden.

'Ik bedoel het conceptueel,' zei hij. 'Je moet het op de hielen zitten, anders kom je nooit nergens.'

Ik heb gemerkt dat zwijgen de beste reactie is als je geen idee hebt waarover iemand het heeft. Zwijgen, en een begrijpend knikje.

'Misschien klopt het wel, dat van dienst en wederdienst, *comprende?*'

Ik knikte nog eens. Hopelijk was hij niet ineens tweetalig geworden. Het was al moeilijk genoeg hem in één taal te begrijpen.

'Dus je doet het?' vroeg hij.

'Wat?' moest ik toen wel vragen.

Hij keek me aan alsof ik debiel was. 'Mijn werkstuk culturele geografie voor me schrijven.'

'Waarom zou ik dat moeten doen?'

'Omdat,' antwoordde hij, 'ik zes hele maanden opgeef voor die Gunnar van je.'

Daar verraste hij me mee. Zoveel had nog niemand aangeboden. De Meester des Tijds was geïntrigeerd.

Skaterdud lachte om de uitdrukking op mijn gezicht. 'Eitje,' zei hij. 'Voor mij maakt het niks uit, want ik weet toch al wanneer ik bloemetjes ga opdrukken. Of zeewier sabbelen, in mijn geval. Mijn afspraak met het noodlot wordt nooit niet verzet, want die waarzegster heeft er bij haar voorspelling natuurlijk rekening mee gehouden dat ik een portie leven aan Gunnar zou geven. Kontje kontje, hè? Ja, ja, ik heb het helemaal uitgevogeld!'

Het was griezelig, zoals ik zijn logica kon volgen. 'Dus... waarom maar zes maanden dan?' speelde ik mee. 'Als je toekomst al vastligt, kun je toch ook een heel jaar geven?'

'Verkocht,' zei Skaterdud, en hij gaf me een klap op mijn rug. 'Niet vergeten – dat werkstuk moet vrijdag klaar zijn.'

'Ho, wacht even! Ik heb niks beloofd.' Ik werd kwaad, want ik had het gevoel dat ik zo'n sukkel was die door de hypnotiseur als proefkonijn uit het publiek werd gehaald. Ik zei het eerste dat in me opkwam, wat helaas dit was: 'Wat schiet ik ermee op?'

Skaterdud haalde zijn schouders op. 'Wat wil je hebben?'

Ik dacht aan de provisie die effectenmakelaars voor elke trans-actie kregen, dus waarom ik niet? 'Eén extra maand als provisie voor mij. Ja, dat is het. Een extra maand waarmee ik mag doen en laten waar ik zin in heb.'

'Verkocht,' zei hij weer. 'Maar laat me dat werkstuk wel even lezen voor je het inlevert, zodat ik weet wat ik heb opgeschreven.'

Hierbij verklaar ik, Reginald Michaelangelo Smoot, alias Skaterdud, boven op de twaalf aan Gunnar Ümlaut vermaakte maanden één maand te vermaken aan Anthony Paul Bonano, voor persoonlijk gebruik naar eigen inzicht, inclusief maar niet beperkt tot:

a) het verlengen van zijn eigen natuurlijke leven
b) het verlengen van het leven van een familielid of huisdier
c) allerlei andere dingen, eigenlijk.

R.M. Smoot
Handtekening

Ralphy Sherman
Handtekening van getuige

Het is nooit mijn gewoonte geweest de boel op te lichten op school.
Ik bedoel, oké, af en toe spieken bij degene naast me tijdens een
meerkeuzeoverhoring, of een rijtje jaartallen op mijn onderarm kal-
ken, maar nooit zoiets als wat Skaterdud van me wilde. Nu moest
ik niet alleen twee werkstukken maken, ik moest er één zo ver-
woorden dat het leek alsof hij het had geschreven – wat betekende
dat het heel chaotisch moest zijn maar genoeg zinnigs moest bevat-
ten om een voldoende te halen.

Uiteindelijk kreeg de Dud een acht plus van de leraar, en doordat ik het beste materiaal al in zijn opdracht had verwerkt, mocht
ik het zelf met een vijf min doen. Mijn verdiende loon. Op de ochtend dat we onze cijfers hadden gehoord overhandigde de Dud me
mijn maand provisie, gaf me een klap op mijn rug toen hij mijn
score zag en zei: 'Volgende keer beter.'

Tussen de middag ging ik het terrein af om een pizza te halen,
want de kantinedames hadden heimelijk het gerucht verspreid dat
dit een uitgelezen dag was om te vasten.

Het probleem was dat ik geen cent op zak had. Rishi, de eige-
naar van het pizzatentje verderop in de straat, was Indiaas. Geen
Indiaan met een n dus maar van oorsprong uit India – en als zodanig
bakte hij pizza's die in geen velden of wegen leken op wat de eerste
Italiaanse immigranten hier ooit hadden ingevoerd. Niet dat ze
slecht waren – ze waren juist stuk voor stuk verrukkelijk, wat misschien verklaarde waarom het er altijd razend druk was en hij zijn
prijzen kon blijven opdrijven.

Ik stond te kwijlen boven een pizza tandoori met salami die net
uit de oven was gehaald en begon in mijn rugtas te graven, maar
het enige dat ik wist op te vissen waren twee stuivers en zo'n kortingsmuntje voor een hamburgertent dat ik als wisselgeld terug had

gekregen uit een geavanceerde snoepautomaat – dat kreng was ofwel defect geweest ofwel heel doortrapt.

Rishi nam me op en schudde alleen maar zijn hoofd. Intussen werd de rij achter me ongeduldig. 'Schiet eens op,' zei Woody de huilebalk, met zijn vlezige arm om de schouders van zijn vriendinnetje, 'bestellen of opzij.'

Wat ik toen deed was waarschijnlijk het gevolg van te lage bloedsuiker. Ik opende mijn ringband om te kijken of er misschien wat muntjes onder de sluiting klemzaten, en ik zag het contract van Skaterdud zitten. Mijn provisie. Ik trok het tevoorschijn, keek nog eens naar de pizza en hield het papier toen vertwijfeld omhoog.

'Ik heb geen geld, maar wat dacht je hiervan?' zei ik. 'Een maand van iemands leven.'

Een paar mensen in de rij snoven, maar niet iedereen. Per slot van rekening was ik op het ochtendnieuws geweest. Ik was erkend. Het werd zelfs stil terwijl iedereen afwachtte wat Rishi zou doen. Hij pakte het aan, lachte, lachte nog een keer, en net toen ik dacht dat ik inderdaad zou moeten vasten vandaag, vroeg hij: 'Welke wil je?'

Ik stond hem nog steeds aan te staren, me afvragend wanneer de clou zou komen, toen Woody me een por gaf en zei: 'Bestel nou eens!'

'Eh... hoeveel punten krijg ik ervoor?'

'Twee,' antwoordde Rishi zonder aarzelen, alsof het zo op de kaart stond.

Ik nam twee punten kip-tandoori-met-salami, en terwijl hij ze aangaf zei hij: 'Ik lijst het in en hang het daar op.' Hij wees naar een wand met foto's van tweederangs beroemdheden, zoals de weerman van Channel Five, en van Cher. 'Dat zal de nodige gespreksstof opleveren. Volgende!'

Op dat moment beschouwde ik het als een kwestie van geluk, als iets eenmaligs. Maar zoals ik al zei, er waren anderen bij – mensen die nog niet gegeten hadden en bij wie de hersenen misschien net zo stonden afgesteld als die geavanceerde snoepautomaat, die me overigens toen ik terugkwam op school een blikje cola gaf voor het kortingsmuntje, in de veronderstelling dat het een Sacagawea-dollar was.

Ik had het amper opengetrokken of Howie dook op een Schwa-achtige manier op uit het niets. Hij jammerde over het soort dorst waaraan hele wereldrijken ten onder gingen. 'Toe, Antsy, één nipje maar. Ik zweer op het graf van mijn moeder dat ik er niet vies mee zal doen.'

Ik bracht het blikje traag naar mijn mond en nam een grote slok terwijl ik erover nadacht. 'Hoeveel is het je waard?' vroeg ik toen.

Ik hield er twee weken van zijn leven aan over.

Je hebt een verschijnsel dat 'vraag en aanbod' heet. Bij economie leggen ze het uit, en het komt voor bij bepaalde computerspelletjes die beschavingen simuleren. Je kunt die beschavingen ook opblazen met nucleaire wapens – waar na de eerste paar keer de lol wel af is, want waarom zou je energie steken in het opbouwen van een be-schaving als je de boel daarna weer opblaast? Je gooit drie uur van je leven weg die je nooit meer terugkrijgt, en sinds tijdschrapen tot mijn dagelijkse activiteiten was gaan behoren, was ik me sterk be-wust geworden van tijdverspilling – of het nu de tijd was die ik ver-spilde met op de bank naar herhalingen liggen kijken, of de tijd die ik verspilde met het vernietigen van gesimuleerde naties. Toen ik dat spelletje net had, kostte het trouwens vijftig dollar, maar nu ligt het voor nog geen tientje in de uitverkoopbak. Dat is nou vraag en aan-bod. Wanneer iedereen iets wil hebben en er niet genoeg van is, be-taal je er meer voor. Maar wanneer niemand het meer wil hebben, schiet de prijs omlaag. In wezen beslissen de consumenten uiteinde-lijk zelf hoeveel iets waard is.

Als de onbetwiste Meester des Tijds was ik degene die de touw-tjes volledig in handen had in de tijdschraapbranche. Dat hield in dat ik het aanbod van het product beheerde, en nu ik wist dat ik het kon ruilen tegen andere goederen, begon ik me af te vragen hoe groot de vraag kon worden.

Het bleek dat ik niet lang hoefde te wachten om daarachter te komen. De volgende ochtend kwam Woody Wilson de huilebalk met zijn vriendin naar me toe voor bemiddeling bij een ruzie.

'Ik was gisteravond vergeten dat we hadden afgesproken, en Tanya was laaiend op me.'

'Ik ben nog steeds laaiend op je,' prentte Tanya hem in. Ze sloeg nijdig haar armen over elkaar en kauwde haar gum in mijn richting.

'Ja,' zei Woody. 'Dus ik heb beloofd dat ik haar een maand van mijn leven geef.' Hij keek mij smekend aan, alsof ik het vermogen had om alles glad te strijken.

Tja, misschien ben ik paranormaal begaafd, of misschien ben ik superslim, of misschien scoor ik juist even hoog op de waanzinschaal als zij, want ik had al rekening gehouden met iets dergelijks. De avond tevoren had ik zelfs al twaalf blanco formulieren afgedrukt – het enige dat ze hoefden te doen was hun naam invullen. Ik pakte mijn ringmap uit mijn rugtas en haalde er een tevoorschijn... samen met een certificaat voor mijn eigen bonusweek als vergoeding voor de transactie.

'O, en nu we toch bezig zijn,' zei Woody, 'ik doe er ook nog een maand voor Gunnar bij.'

Tanya stempelde het contract dat ze van hem had gekregen helemaal vol met hartjes, liet het plastificeren en hing het aan het prikbord zodat de hele school het kon zien. Vanaf dat moment kon een jongen die niet bereid was een maand van zijn leven aan zijn vriendin te geven al snel afscheid nemen van die vriendin. Ik werd overspoeld met aanvragen. En boven op de romantische handel kwamen nog de leerlingen die allerlei andere uitgestelde-betalingsregelingen wilden treffen.

'Als ik mijn broer een maand geef, krijg ik de grootste slaapkamer.'

'Ik heb bij de buren een ruit ingetrapt, en ik kan de schade niet betalen.'

'Kan ik dit ook gebruiken als Bar Mitswa-cadeautje?'

Tussen alle nieuwe opdrachten door – en de tijd voor Gunnar

die bleef binnenstromen – harkte ik links en rechts provisie binnen. Al na een paar dagen had ik dertig weken voor mezelf bij elkaar – die ik voor van alles en nog wat kon inwisselen, van een zak chips tot aan een lift naar huis achter op de motor bij een zesdejaars. Ik wist zelfs een tweedehands iPod te bemachtigen; inruilwaarde drie weken.

Ik kon niet ontkennen dat ik flink garen spon bij Gunnars naderende dood. Ik voelde me er schuldig over, want ik had nooit zijn toestemming gekregen om zo schaamteloos te profiteren van zijn terminale kwaal, maar Gunnar bleek het juist schitterend te vinden. '"Leed zoekt gelijkgestemden, maar het zoekt nog naarstiger naar macht," zoals de filosofische schrijfster Ayn Rand zegt. Als mijn leed een positief effect heeft op jouw bestaan, ben ik daar blij om.'

Dus het zat wel goed. Als hij blij kon zijn met zijn leed was dat beter dan dat hij leed onder zijn leed – en Gunnar was absoluut de meest optimistische somberaar die ik kende.

Toch durfde ik hem niet over mijn dagdromen te vertellen. Sommige zaken kun je nou eenmaal het beste voor je houden. Je hebt namelijk geen invloed op de dingen waarover je dagdroomt – en die zijn niet altijd even fraai. In feite zijn het soms eerder nachtmerries dan dromen. Dagmerries zou je ze kunnen noemen. Zoals wanneer je helemaal wordt meegesleept in een fantasie over een slaande ruzie die je nooit hebt gehad maar op een dag wel zou kunnen krijgen – of de dagmerries waarin je je het ergst denkbare voorstelt. De verdwijngat-dagmerrie bijvoorbeeld. Een poosje terug had ik op het nieuws gezien dat er in Bolivia of Bulgarije of zo'n soort land een verdwijngat was ontstaan. Ergens in een rustige buurt beginnen op een ochtend de muren van de huizen te kraken en kreunen, en dan scheurt de aarde open, een van de panden zakt dertig meter de diepte in, en alle bewoners worden meegesleurd door een ondergrondse rivier waar niemand vanaf wist, behalve een of andere excentrieke wetenschapper van een nabijgelegen universiteit die er al dertig jaar artikelen over schrijft, maar leest ook maar iemand die? Welnee.

Dus je krijgt een dagmerrie over dat verdwijngat, en stel nou eens dat het bij jou in de straat gebeurt. Denk je eens in. Je wordt op een ochtend wakker, springt onder de douche, en terwijl je je staat af te drogen wordt je hele huis ineens opgeslokt, en daar sta je dan met alleen een handdoek om je middel, je af te vragen wat op dat ogenblik belangrijker is – zorgen dat de handdoek blijft zitten of voorkomen dat de ondergrondse rivier je meesleurt?

In die dagmerries overleef je het altijd – al ben je soms de enige, en sta jij na afloop aan de verslaggevers te vertellen dat je nog alles op alles hebt gezet om de rest van je familie te redden; hadden ze zich maar ergens aan vastgehouden, waren ze maar net zo sterk geweest als jij.

De dagmerrie die almaar in me op bleef komen speelde zich af op Gunnars begrafenis. Ik ben erbij en het regent, want op begrafenissen regent het altijd, en de paraplu's zijn altijd allemaal zwart. Waarom is dat eigenlijk? Waar blijven al die felgekleurde met bloemetjes of met Winnie de Poeh erop? Hoe dan ook, daar sta ik dan, met in de ene hand een deprimerend zwarte paraplu en mijn andere arm troostend om de rouwende Kjersten heen geslagen. Ik ben haar rots in de branding, en dat maakt onze band nog inniger – ja, natuurlijk ben ik er zelf ook kapot van, maar ik laat het niet merken, er rolt hooguit een enkele stille traan over mijn wang. Dan vraagt iemand of ik iets wil zeggen, ik stap naar voren, en heel anders dan ik in het echt zou doen houd ik een prachtige toespraak, waardoor iedereen door zijn verdriet heen glimlacht en instemmend knikt, en waardoor Kjersten nog meer bewondering voor me krijgt. En dan schud ik mezelf wakker, en ik schaam me rot omdat Gunnars begrafenis in mijn hoofd helemaal om mij draait.

Binnen een paar dagen had ik zo veel contracten afgedrukt dat ik door mijn hele papiervoorraad heen was, en de donaties bleven binnenstromen. De leerlingenraad, die zich geen vliegen wilde laten afvangen door een ordinaire sterveling als ik, plaatste een enorme kartonnen thermometer voor het administratiekantoor. Ik kreeg de

opdracht dagelijks te melden hoeveel tijd er voor Gunnar was ingezameld, zodat ze het daarop konden aangeven. Het doel dat zij hadden gesteld was vijftig jaar, want met vijftig jaar erbij zou Gunnar
de vijfenzestig halen – ze vonden het onzin hem na zijn pensioen-
datum door te laten leven.

'Onvoorstelbaar wat mensen allemaal voor je overhebben als je
doodgaat,' zei Gunnar toen ik hem de volgende stapel maanden
overhandigde.

'Nog iets gehoord van Dr. G?' vroeg ik hem.

'Dr. G blijft nogal vaag,' antwoordde hij. 'Volgens hem gaat het
goed zolang het niet fout gaat.'

'Nou, daar heb je wat aan.' Ik vroeg me af wat erger was, een
ziekte hebben met maar weinig symptomen, of een met genoeg
symptomen om te weten hoe je ervoor stond. 'In elk geval,' merkte
ik heel slap op, 'zijn je lippen nog niet blauw.'

Toen Gunnar zijn schouders ophaalde wankelde hij even, alsof
hij weer zo'n duizeling had.

'Dus… denk je dat je het wel een heel jaar redt?' vroeg ik.

Gunnar keek naar de stapel tijd die hij vasthad. 'Het is mogelijk
dat ik het nog een poosje volhoud.'

Wat van zijn achtertuin niet gezegd kon worden. Die woensdag
ging ik naar hem toe om verder te werken aan de stofschaal. Het
begon steeds akeliger te worden in het Ümlaut-universum. Er hing
gewoon zoveel spanning. Om Gunnars naderende dood bijvoorbeeld, en de bizarre toestand met hun vader. En dan had je het dreigende afspraakje met Kjersten nog.

Ik weet dat een afspraakje met het meisje van je dromen niet
hoort te 'dreigen', maar dat deed het wel. Het is vreselijk als je elkaar tegenkomt nádat je haar mee uit hebt gevraagd maar vóórdat
het zover is. Het lijkt op afscheid nemen van iemand en dan beseffen dat je dezelfde lift in moet. Praten kan niet meer, want je hebt al
gedag gezegd, en dus sta je allebei vreselijk opgelaten langs elkaar
heen te staren.

Afijn, ik had Kjersten uitgenodigd, ze had ja gezegd, en nu kwam ik twee dagen voor het feitelijke afspraakje bij haar thuis. Ik besefte dat het een liftervaring zou worden zodra ze terugkwam van haar tennistraining.

Wat de achtertuin van de Ümlauts betrof, die was inmiddels officieel doodverklaard – geen sprietje gras had onze gifaanval overleefd. Zelfs bij de buren waren een paar planten gesneuveld, omdat het herbicide was doorgesijpeld.

'Dat heet "secundaire schade",' zei Gunnar. Hij wees naar de om zich heen grijpende woestenij. 'Misschien kunnen we wat zwervers en bedelaars inhuren om het toneel te bevolken.'

Op dat moment riep Mrs. Ümlaut of we een beker warme chocolademelk wilden, want het begon koud te worden. Om in Steinbeckstijl te blijven vroegen we haar in plaats daarvan de ketel op het vuur te zetten voor 'een bakkie leut'. Het was natuurlijk geloofwaardiger geweest als ze niet met zo'n hypermoderne automatische glazen pot was komen aanzetten.

Ongeveer tegelijk kwam Kjersten thuis, en ze liep door naar buiten om hallo te zeggen. Ik was blij haar te zien, ook al wist ik me geen houding te geven.

'Je schijnt de officiële school-Cupido te zijn,' zei ze met een grijns, waarmee ze doelde op de nieuwe liefdesvaluta waarvoor ik de paperassen aanleverde.

Gunnar rolde kreunend met zijn ogen. De glimlach die Kjersten me schonk vervaagde terwijl ze naar het grote blok graniet midden in onze stofschaal keek. Zelf was ik inmiddels zo gewend aan de onvoltooide grafsteen dat hij me niet meer opviel.

'Je moet dat ding daar weghalen,' zei ze tegen haar broer. 'Het is een akelig gezicht.'

'Neuh. Er zijn een hoop doden gevallen tijdens de zandstormen, dus zo'n zerk geeft het een realistisch tintje.'

Kjersten wierp me een blik toe, maar ik wendde me af. Ik keek wel uit om me ermee te bemoeien en concentreerde me op het afkloppen van mijn broekspijpen.

'Blijf je mee-eten?' vroeg ze.

'Nee,' antwoordde ik veel te vlug. 'Ik moet vanavond bij mijn vader in de zaak werken.' Na de vorige Ümlaut-maaltijd zou ik nog liever menukaarten uitdelen en water inschenken dan nog eens bij ze aan tafel te moeten schuiven. En ik had nog liever OP de menukaart gestaan dan weer met hun vader geconfronteerd te worden.

Kennelijk las Kjersten mijn gedachten, want ze zei: 'Het is niet altijd zo erg, hoor.'

'Jawel,' zei Gunnar, en hij goot wat hete koffie in zijn keel.

'Moet je nou per se zo negatief zijn?' vroeg Kjersten.

Ik had de neiging te roepen dat ze wel wat aardiger mocht zijn tegen een broer die nog maar kort te leven had, maar partij kiezen tegen een aanstaand vriendinnetje is in elke situatie onverstandig.

Gunnar haalde zijn schouders op. 'Ik ben niet negatief, ik vertel gewoon de waarheid.' Toen keek hij naar de koffiepot. 'Zoals Benjamin Franklin al zei: "De waarheid kan slechts worden opgediend vanuit een gloeiend hete ketel; of je er blaren door oploopt of er thee van zet is aan jezelf."'

De walging op Kjerstens gezicht deed haar wat minder mooi lijken, iets wat ik niet voor mogelijk had gehouden. 'Mijn broer is niet half zo slim als hij denkt,' bromde ze, en ze draaide zich om om weg te marcheren.

'Ik ben slim genoeg om te weten waar papa overdag heen gaat,' zei Gunnar.

Midden in de vlucht bleef Kjersten staan, al was het maar voor heel even. Toen versnelde ze haar pas weer en beende naar binnen, zonder ook nog maar om te kijken en Gunnar een greintje voldoening te gunnen.

Toen ze eenmaal verdwenen was, gingen Gunnar en ik zwijgend verder de puinzakken met dode planten te vullen. Nu Kjersten me aan de grafsteen had herinnerd, kon ik mijn ogen er niet meer vanaf houden. De olifant in de stofschaal. Maar bij wijze van uitzondering was Gunnar vandaag niet geobsedeerd door zijn eigen ondergang. Hij zat heel ergens anders met zijn gedachten.

'Drie keer,' zei hij, eindelijk de stilte verbrekend. 'Drie keer heb ik de kilometerteller in zijn auto gecontroleerd voordat hij wegging en nadat hij was teruggekomen, en ik heb het uitgerekend. Alle drie de keren heeft hij op de heen- en terugweg zo'n tweehonderd à tweehonderddertig kilometer afgelegd.'

Het was knap speurwerk, vond ik, maar veel wijzer werd je er niet van. 'Dat zegt niet veel als je niet weet welke richting hij op rijdt.'

'Hou het maar op noordwestelijk.' Hij stak zijn hand in zijn zak en gooide een plastic schijfje naar me toe. 'Dit heb ik in zijn wagen gevonden.' Nog voordat ik het kon vangen, zag ik wat het was.

'Een pokerfiche? Speelt hij poker?'

'Waarschijnlijk blackjack of craps,' zei Gunnar. 'Kijk nog eens.'

Op de rand van de rode fiche zaten zwarte streepjes. In het midden stond een A.

'Van het casino in het Anawana-reservaat,' zei Gunnar. 'En volgens MapQuest is dat op de kop af tweehonderdtwintig kilometer hiervandaan.'

Iedereen gokt wel eens. Je hoeft er niet eens voor naar een reservaatcasino. Je doet het dagelijks zonder je er bewust van te zijn. Het kan om iets onbenulligs gaan, zoals het op dinsdagavond overslaan van je wiskundehuiswerk omdat je weet dat je leraar voor de les op woensdag kantinedienst heeft en het toch niet wordt nagekeken, omdat hij daar geestelijk geknakt vandaan komt.

Je gokt als je het tot begin juli uitstelt om naar een vakantiebaantje te solliciteren, omdat je ervan uitgaat dat je geldzucht teniet wordt gedaan door het feit dat je waarschijnlijk toch niet wordt aangenomen, dus waarom zou je je kostbare tijd eraan verspillen? Tijd die je ook kunt besteden aan het niet opruimen van je kamer, aan het laten staan van de afwas of het overslaan van je huiswerk?

In wezen is elke beslissing die we nemen een gok. Ook mijn ouders zijn volop aan het gokken – ze zetten alles op het spel voor het restaurant. Eigenlijk gaan ze een weddenschap aan met zichzelf, en daar bewonder ik ze om. Al koopt mijn moeder natuurlijk ook elke week tien loten, waar ik me dan alleen maar weer voor schaam.

'Wat heeft het voor nut?' vraagt mijn broer telkens als hij ze ziet liggen. 'Het is wetenschappelijk vastgesteld dat je eerder vijf keer door de bliksem wordt getroffen dan dat je een prijs wint.'

Waardoor ik me dan afvraag of er telkens wanneer iemand de loterij wint, ergens een arme sul voor de vijfde keer door de bliksem wordt getroffen, en hoe erg moet je God wel niet tegen de haren in hebben gestreken om zoiets te verdienen?

'Ik weet dat de kans miniem is,' zegt ma dan altijd. 'Maar ik blijf het spannend vinden. Die opwinding is me wel tien dollar in de week waard.'

Op zich lijkt het me weinig kwaad te kunnen – maar wat gebeurt er als die tien dollar honderd dollar wordt? Of duizend dollar? Wanneer wordt het een probleem? Het gaat vast zo langzaam, zo heimelijk, dat het niemand opvalt, tot het een terminale ziekte op zich is geworden.

Kijk, dat mijn ouders gokken met hun restaurant is geen punt, want met hard werken en met talent kun je ervoor zorgen dat de kansen in je voordeel keren.

Maar in een casino zijn de kansen domweg niet te keren; dat bewijzen al die poenige hotels in Las Vegas wel. Er wordt gegarandeerd zo'n vijftien procent van de omzet afgeroomd. Maar als je vandaag duizend dollar wint, ben je zo door het dolle heen dat je op slag vergeet dat je het afgelopen jaar nog veel meer hebt verloren.

Zo zit het ook ongeveer met het leven – ik denk dat Gunnar dat beter wist dan wie ook. Dat we soms een meevallertje hebben verandert niets aan het feit dat we uiteindelijk door onze fiches heen raken. Het is de gloeiend hete waarheidsketel waar we thee mee moeten zetten. Prima thee, tenzij je die arme sul bent die vijf keer door de bliksem wordt getroffen. Als jij dat toevallig bent, kan ik je verder ook niet helpen, ik kan je er alleen op wijzen dat jouw noodlot het nobele doel dient de rest van ons het gevoel te geven dat we geluk hebben.

Ik wist niet waar op de bliksemende loterijschaal Mr. Ümlaut zich bevond, maar ik had zo'n vermoeden dat hij op een stormachtig veld stond met veel te veel metaal in zijn zakken.

Het was zaterdagavond, en ik was vastbesloten alle narigheid bij de Ümlauts van me af te zetten. Dit moest een mooie avond worden. Vanavond had ik mijn eerste afspraakje met Kjersten.

Jammer genoeg zouden we niet met zijn tweetjes zijn – Lexie en Raoul de Klakker zouden ook komen. Zoals ik al heb gezegd, ik had het aanbod Kjersten mee te nemen naar een chique zaak niet kunnen afslaan, en veel chiquer dan Crawley's had je in Brooklyn niet. Het zou me alleen al snel duidelijk worden dat het mee uit nemen van een rijpere vrouw een verantwoordelijkheid met zich meebrengt die zwaar genoeg is om je hersencellen weg te schroeien.

De logistiek alleen al... Hoe verplaats je je? Rijd jij met haar mee? Is dat niet vernederend voor jou? Pak je de bus, of kom je dan krenterig over? Bel je een taxi en ga je al failliet aan de ritprijs nog voor je een hap hebt gegeten? Of ga je samen lopen en laat je je door iedereen nawijzen omdat zij langer is dan jij?

Uiteindelijk maakte ik me ervanaf door gewoon bij het restaurant af te spreken.

Mijn moeder trok een wenkbrauw op toen ik me voor vertrek liet ontvallen dat Kjersten een auto had.

'Heeft ze dan al een rijbewijs, die meid met wie je op stap gaat?'

'Nee hoor,' antwoordde ik. 'Het is zo'n automatisch karretje – ze hoeft niks zelf te doen.'

Meestal is mijn moeder behoorlijk bij de pinken, maar ik denk dat ze haar inzicht in de moderne technologie niet vertrouwde, want ze zei: 'Dit verzin je toch, hè?' Het was erg Howie-achtig, en dat vond ik zorgwekkend.

'Ik ben tegen elven thuis,' zei ik tegen haar terwijl ik naar de voordeur liep. 'En zo niet: ik heb het nummer van het mortuarium onder je snelkeuzetoets gezet.'

'Als ik daar toch heen moet, kan ik meteen mijn hart eruit laten snijden.'

'Ik zal het doorgeven.'

Ik nam me voor het mortuarium daadwerkelijk onder een snelkeuzetoets te zetten. Ze zou er pissig om worden, maar ik wist dat ze er ook om zou moeten lachen. Ma en ik hebben hetzelfde gevoel voor humor. Dat is óók zorgwekkend.

Ik stond er tien minuten te vroeg, in mijn netste shirt en broek.

Kjersten was drie minuten te laat, en ze was gekleed op een avond aan de Rivièra.

'Vind je het niet overdreven?' vroeg ze met een blik op haar jurk, die het licht reflecteerde als een discobal. 'Ik hoorde dat ze hier kledingvoorschriften hanteren.'

Begrijp me niet verkeerd, het was niet opzichtig of zo – juist het tegenovergestelde. Iedereen keek op toen ze Crawley's binnenstapte. Ik bleef het geflits van paparazzi verwachten.

'Nee, het is prachtig,' zei ik met een grote grijns. Door haar jurk en de manier waarop ze haar haar had opgestoken leek ze nog volwassener, en ik moest denken aan die testjes voor kleine kinderen. Wat klopt er niet aan dit plaatje? Een meisje in een jurk, kristallen kroonluchters, een ober met een schaal kreeften en Antsy Bonano. Een kleuterklasser zou met gemak slagen.

Ik gaf haar een kus op haar wang, vol in het zicht van de andere gasten, voor het geval ze twijfelden over bij wie ze hoorde.

'Je ziet er fantastisch uit,' zei ik tegen haar, 'maar dat wist je allang, hè?'

We werden naar een vierpersoonstafel gebracht, die voorheen exclusief voor beroemdheden van Brooklynse komaf bestemd was geweest, totdat was doorgedrongen dat die nooit naar Brooklyn terugkeerden. Ik wist niet goed of ik naast Kjersten moest gaan zitten of tegenover haar, dus ik nam als eerste plaats en liet het aan haar over. Dat was blijkbaar fout, want de ober wierp me een blik toe zoals mijn moeder doet als ik iets onvergeeflijks uithaal. Toen trok hij traag Kjerstens stoel voor haar naar achteren – overduidelijk wat ik had horen te doen.

'Ik hoop dat je het niet erg vindt dat er nog anderen komen,' zei ik.

'Zolang het maar niet elke keer zo gaat,' zei ze met een glimlachje. Ze stak haar arm uit en pakte mijn hand vast. 'Ik ben nog nooit meegenomen naar zo'n dure zaak. Je krijgt een tien.'

Wat betekende dat het alleen maar minder kon worden.

'Al heb ik natuurlijk ook nog nooit...' zei ze wat aarzelend, 'een afspraakje gehad met een blind stelletje erbij.'

'Maak je geen zorgen – ze zijn net als mensen die wel kunnen zien,' zei ik tegen haar, 'behalve dan dat ze niet kunnen zien.'

'Ik ben zo bang dat ik iets stoms doe of zeg...'

'Laat dat maar aan mij over,' zei ik.

Toen Lexie en Raoul een poosje later binnenstapten, vroeg ik me af waar ze waren geweest, want Lexie woont immers boven het restaurant, en toen vroeg ik me af waarom ik me dat afvroeg. Ik liep haar tegemoet en pakte haar bij de hand. Kjersten nam ons verbaasd op, totdat ik Lexies hand naar de hare leidde. Ik was eraan gewend dat te doen; het bespaarde Lexie het stuntelige aankoppelen.

Zodra we alle vier onze plaats hadden ingenomen, maakte Lexie haar blindengeleidehond los uit zijn tuig, en Moxie nam braaf zijn vaste positie naast haar stoel in.

We begonnen wat opgelaten met elkaar te praten, onder meer over de verschillen tussen de openbare school waar wij op zaten en hun peperdure particuliere blindeninstelling. Een kort maar angstaanjagend moment lang voerden de meisjes een tennisachtige discussie over mij, alsof ik er niet bij was – het enige dat ik kon doen was de bal van links naar rechts volgen.

'Wat ik zo leuk vind aan Antsy, is dat hij durft te zeggen wat hij denkt,' serveerde Kjersten.

'O, daar weet ik alles van,' speelde Lexie terug. 'Zelfs als hij beter zijn mond zou kunnen houden.'

'Maar dat is juist zo grappig,' besliste Kjersten met een smash.

Het leek me raadzaam een ander onderwerp aan te snijden. 'Zeg,' zei ik tegen Raoul terwijl de hulpkelner heel wat minder behendig dan ik water voor ons inschonk, 'jij hebt geen geleidehond. Kun je alles af met klakken?'

'Eigenlijk wel,' antwoordde Raoul trots. 'Vergeleken bij echolocatie zijn stokken en honden behoorlijk middeleeuws.' Hij was tot nog toe vrij stil geweest, maar nu het gesprek eenmaal over hem ging, veerde hij op. 'Persoonlijk denk ik dat het een kwestie van aanpassingsvermogen is. Evolutionair, zeg maar.'

'Raoul heeft nog geen geleidehond omdat de meeste mensen die pas krijgen wanneer ze ouder zijn,' legde Lexie wat kregelig uit. 'Eigenlijk hoor ik er ook nog geen te hebben, maar je kent mijn opa – die heeft wat druk uitgeoefend.'

'Ik heb er sowieso geen nodig,' zei Raoul. Hij klakte een paar keer met zijn tong en bepaalde zo de exacte locatie van onze vier glazen, en het feit dat het mijne maar halfvol was, doordat de karaf van de hulpkelner te vroeg leeg was geraakt omdat hij de inhoud van tevoren niet had gecontroleerd, zoals je moet doen voordat je begint met inschenken. En dat noemde zichzelf een hulpkelner.

'Geweldig!' zei Kjersten.

Ik was minder overtuigd. 'Hij heeft het aan het geklok gehoord.'

'Had gekund,' zei Raoul, 'maar daar heb ik niet op gelet.'

'Oké dan.' Ik sloeg mijn armen over elkaar. 'Hoeveel vingers steek ik op?'

'Zo specifiek kan hij het niet zeggen,' zei Lexie, die voor hem op de bres sprong.

Maar Raoul klakte en zei: 'Geen een. Je hebt je hand niet eens opgestoken.'

Kjersten keek naar me en grijnsde.

'Goed dan, Raoul heeft gewonnen,' gaf ik toe. 'Het is geweldig.'

'En het publiek breekt de zaal af!' riep Raoul.

'Zullen we maar eens bestellen?' zei Lexie. Ze liet haar wijsvinger over het braillemenu glijden. Misschien verbeeldde ik het me, maar ze deed het iets te snel om het echt te kunnen lezen. Ik had Lexie eerder zien lezen. Ik kende het tempo van braille – of althans van háár braille. Kjersten zag dat ik Lexie uitgebreid zat op te nemen, dus ik keek van haar weg. Misschien was het toch niet zo'n goed idee geweest om met zijn vieren uit te gaan.

'Volgende week vlieg ik naar Chicago,' vertelde Raoul. 'Ik kom in een nationale talkshow.'

Lexie sloeg haar kaart net iets te hard dicht. Bij de plotse klap kwam Moxie overeind, maar hij ging weer zitten.

Raoul stak zijn arm uit, wreef over haar mouw en pakte toen haar hand. 'Wat is er, schatje?'

Ik voelde dat ik een grimas trok, ik kon het niet helpen. Als je Lexie Crawley ook maar een beetje kende, wist je dat je haar nooit 'schatje' moest noemen. Gecombineerd met het feit dat hij haar hand vasthield bezorgde het me een soort mentale kokhalsneigingen. Ik bedoel, oké, ik ging zelf met Kjersten om, maar volgens mij is het menselijk brein er niet op ontworpen om dit soort situaties te verwerken.

Ik keek naar Kjersten, die mijn reactie had opgemerkt, en weer blikte ik weg.

'Je hoeft al die tv-uitnodigingen niet per se aan te nemen,' zei Lexie tegen Raoul. 'En je hoeft heus niet de hele tijd voor te doen hoe goed je bent in echolocatie. Je bent geen kermisattractie.'

'Ik vind het niet erg.'

'Nou, dat zou je wel moeten vinden.'

Ik verschool me achter mijn menukaart. 'Ik denk dat ik de kotelet neem,' zei ik. 'En jij, Kjersten?'

'Schaaldieren zijn hier toch de specialiteit?'

'Ja, nou ja, ik heb het niet zo op schaaldieren.'

Op dat moment ging haar mobieltje over. Zelfs haar ringtone was hip; de nieuwste hit van NeuroToxin. Ze haalde het uit haar tas, keek naar het nummer en liet het weer terugvallen. 'Niet belangrijk,' zei ze, al zei haar uitdrukking iets anders.

Toen de ober onze bestellingen had opgenomen en wegliep, stokte het gesprek. Het bleef stil totdat Raoul zei: 'Ik kan bepalen hoeveel mensen er in de zaak zitten – zal ik het eens voordoen?'

Lexie duwde zich abrupt overeind. 'Ik ga me even opfrissen.' Moxie wilde met haar mee, maar ze liet hem achter.

Ik wist dat ze het restaurant op haar duimpje kende, maar er liep zoveel personeel rond dat de route naar het toilet veel weg had van een veld met asteroïden. Ik stond op om met haar mee te gaan. 'Ik ben zo terug,' zei ik tegen Kjersten, die beleefd glimlachte. 'Ik moet toch ook even naar de wc.'

Terwijl ik Lexie inhaalde, hoorde ik Kjerstens mobieltje weer overgaan. Ik keek net lang genoeg achterom om te zien dat ze opnam.

'Ik mag Raoul wel,' zei ik tegen Lexie. 'Hij is wel cool.'

'Ja, wanneer hij even ophoudt over zichzelf te praten.' We stonden bij de ingang van de toiletten, maar Lexie maakte geen aanstalten naar binnen te gaan. 'Het is allemaal leuk en aardig als je iets bijzonders kunt, maar je moet meer te bieden hebben dan sonar.'

'Jah... als hij dat niet had, zou hij inderdaad nogal saai zijn.' Ik bedacht hoe het gesprek daarnet alleen maar om zijn unieke gave had gedraaid, en ik besefte dat dat niet kwam doordat hij verwaand was; hij had gewoon niks anders te vertellen.

'Kjersten lijkt me heel leuk,' zei Lexie. 'Ik ben blij voor je...'

Ik kende haar goed genoeg om te horen dat er een 'maar' aan het eind van de zin bungelde. Ik wachtte tot die maar voor de dag zou komen.

'Maar... er is iets met haar,' zei ze uiteindelijk. 'Ik weet het niet, er klopt iets niet helemaal.'

'Jullie hebben amper een woord gewisseld – hoe kun je dat nou weten?'

'Ik voel dat soort dingen aan.'

'Blind zijn maakt je nog niet helderziend, hoor.' Ik klonk geïrriteerder dan ik had gewild. Nee – in werkelijkheid had ik precies zo willen klinken.

'Het is iets in haar stem,' zei Lexie. 'In de stiltes. Het is... raar.'

'Nou en? Ze heeft problemen thuis, dat is alles,' zei ik. 'Haar broer is ziek.'

'Dat kan het voor een deel verklaren.'

'Wat verklaren?'

'Dat ze met jou omgaat.'

Ik begon geïrriteerd te raken. 'Misschien valt ze gewoon op me – is dat wel eens bij je opgekomen?'

'Ja, maar *waarom* valt ze op je?'

'Waarom moet ze een reden hebben? Ze valt op me, klaar. Wat – kun je je soms niet voorstellen dat een meisje van twee jaar ouder dat ontzettend slim is en er ook nog uitziet als een supermodel, iets met mij wil?' Bepaalde dingen kun je beter niet hardop zeggen. 'Oké, misschien *is* het ook wel vreemd. Maar wat dan nog? Dus ze is raar. Ik ben ook raar – en jij ook. Sinds wanneer is dat verboden?'

'Misschien valt ze niet zozeer op jou, maar op het *beeld* dat ze van je heeft.'

'O ja? Weet je wat, ga jij maar lekker de plee op met dat *beeld* van je, want wij zijn uitgepraat.'

Ze stampte zonder hulp de toiletten in, met de zekerheid van iemand die precies wist waar ze heen ging. De menselijke asteroïden konden maar beter ruim baan voor haar maken. Nou, mooi dat ik niet op haar bleef staan wachten. Ik hield de hulpkelner die geen water kon inschenken tegen en zei dat hij Miss Crawley wanneer ze straks klaar was terug mocht brengen.

Lexie was jaloers. Dat was het. Dat moest het wel zijn. Net zoals ik jaloers was op haar en haar beroemde klakkende vriendje. Maar dat zou wel overgaan. Het begon net wat te worden tussen Kjersten en mij, en ik zou het niet door Lexie laten verpesten.

Toen ik weer bij de tafel kwam, zag ik dat Kjersten haar jas stond aan te trekken. 'Wat is er? Heb je het koud?'

'Het spijt me, Anthony, ik moet ervandoor.'

Meteen keek ik naar Raoul. 'Wat heb je gedaan?' vroeg ik aan hem – misschien had hij haar decolleté afgeklakt om haar cupmaat te bepalen.

'Niks,' antwoordde Raoul. 'Ze kreeg net een telefoontje.'

'Het was mijn vader. Ik heb huisarrest.'

Ik kon haar alleen maar vol ongeloof aanstaren, zoals die keer toen ik als klein jochie van mijn moeder te horen had gekregen dat we niet naar Disney World gingen omdat de luchtvaartmaatschappij plotseling op de fles was gegaan.

'Wat? Je kunt toch niet midden in een afspraakje huisarrest krijgen? Dat is hetzelfde als... daar moet een wet tegen bestaan.'

'Ik had al huisarrest,' biechtte ze op. 'Ik mag eigenlijk helemaal de deur niet uit, maar mijn moeder kan het niks schelen, en mijn vader was niet thuis.'

'Precies – hij is nooit thuis, dus dat maakt dat huisarrest ongeldig, of niet soms?'

'Hij is net teruggekomen.' Ze ritste haar jasje dicht, ontnam mij en de paparazzi het zicht op haar schitterende jurk.

'Kun je dan niet... in opstand komen of zoiets?'

'Ik *ben* in opstand gekomen – daarom heb ik nu huisarrest.'

Ik vroeg me af wat ze had uitgehaald, en de dingen die in me op-kwamen waren vast veel buitenissiger dan wat er in werkelijkheid was gebeurd. Met een stem die veel te zeurderig klonk vroeg ik: 'Kun je voor mij dan niet nog wat meer in opstand komen?'

Door de manier waarop ze me aankeek besefte ik dat ze echt lie-ver was gebleven. Maar aan haar uitdrukking zag ik ook dat ze het niet zou doen. Toen gaf ze me een zoen, en tegen de tijd dat ik weer bij mijn positieven was, was ze verdwenen.

De ober was zich nergens van bewust en kwam vier borden neer-zetten, maar op dit moment zaten alleen Raoul en ik er nog, en het was maar de vraag of Lexie ooit weer van het toilet zou komen nadat ik haar zó had afgesnauwd.

Verdwaasd door de dreun liet ik me op mijn stoel zakken, en Raoul vroeg: 'Zal ik nou nog laten zien dat ik het aantal gasten kan bepalen of niet?'

Laat er geen enkel misverstand over bestaan: dat Gunnars buren het slachtoffer werden van ons Steinbeckproject was geen kwade opzet, en bij wijze van uitzondering kan ik een deel van de schuld op iemand anders schuiven.

Gunnar en ik hadden nog maar een paar dagen om onze stofschaal af te krijgen, dus we stonden onder hoge druk. We werkten ons drie slagen in de rondte, want we wilden niet dat er punten werden afgetrokken omdat we te laat waren met de presentatie. Ik heb ruime ervaring op dat vlak, dus ik weet dat er leraren zijn die zoiets afmeten in de microseconden op die wereldklok die in Engeland hangt. En het is een bodemloze put. Ik heb zelfs een keer een nul gekregen voor het niet op tijd inleveren van een werkstuk. Toen ik de docent erop wees dat ze nog verder kon zakken als ze de negatieve cijfers erbij haalde, tot in het oneindige zelfs, was ze zo onder de indruk dat ze er een plusje achter had gezet.

Wilden we voorkomen dat ons cijfer tot onder het vriespunt daalde, dan moesten we de planten in een razendsnel tempo uitroeien om onze stofschaal tot stand te brengen, dus we hadden er liters herbicide tegenaan gegooid, en nu hadden Gunnars buren de smoor in omdat het ook bij hen naar een gifbelt rook.

Het was zondagochtend, de dag na mijn bijna-afspraakje met Kjersten. Ik had eigenlijk helemaal geen zin om met Mr. Ümlaut te worden geconfronteerd, die ik persoonlijk verantwoordelijk hield voor het verpesten van mijn avond. En ik zag er ook tegenop Kjersten tegen te komen, want het was te kort nadat ze me had laten zitten. Maar de tuin was nou eenmaal alleen maar via het huis te bereiken. Gunnar was al buiten bezig, dus Kjersten deed de deur voor me open.

'Hoi,' zei ik.

'Hoi.'

'Mooi weer, hè.'

'Zonnig.'

'Een zonnetje is altijd fijn.'

'Jah.'

'Nou...'

'Oké.'

Ik probeerde ons uit ons lijden te verlossen door verder te lopen, maar ze liet me er niet door. Nog niet.

'Het spijt me van gisteravond,' zei ze. 'We doen het een keer over, goed?'

'Ja hoor, geen punt.'

'Nee,' zei ze, 'ik meen het.'

En ik hoorde dat ze het echt meende. Diep vanbinnen had ik gedacht dat een verloren avond hetzelfde was als verloren hoop. Het was goed te weten dat er een nieuw, beter afspraakje aan de horizon glinsterde.

'Wanneer zit dat huisarrest van je erop?' vroeg ik.

'Zodra ik morgen mijn cijfer voor scheikunde binnen heb – en mijn vader ziet dat ik mijn tennistoernooi niet had hoeven overslaan om te blokken.'

Ik glimlachte. 'En ik dacht nog wel dat je had gespijbeld voor een wild ski-avontuur.' Wat nog een van de tammere scenario's was geweest. Ik pakte haar hand en hield hem een paar tellen vast, een paar tellen waarin ik me, geloof het of niet, helemaal niet onzeker voelde. Pas toen liep ik door naar achteren.

Er lagen hele stapels karton klaar, want vandaag zouden we een schuur bouwen voor Steinbecks uitgehongerde boeren. Zodra ik onze ministofschaal in stapte, hoorde ik dat Gunnars buurvrouw op hem stond te schelden. 'Moet je nou zien wat je hebt aangericht! Al mijn planten zijn dood!'

'Het is de tijd van het jaar,' zei ik, wijzend naar de afgevallen bladeren om haar heen. 'Het hoort zo.'

'O ja?' zei ze. 'En die groenblijvende struiken dan?'

Ze gebaarde naar het uiteinde van haar tuin, waar alles een ziekelijke bruine kleur had. Vervolgens keek ze verbitterd naar een stel doornachtige, kale heesters voor haar, die in winterslaap hadden kunnen zijn, maar wij wisten wel beter – als het herbicide naar haar kant was doorgesijpeld, waren ze er geweest.

'Heb je enig idee hoeveel werk ik in die rozen heb gestoken?'

Mijn reactie zou een kort en bondig 'oeps' zijn geweest, maar Gunnar had iets paraat wat we vorige week bij de vocabulaire-overhoring hadden gehad en waaraan het mij ontbreekt: eloquentie.

'Pas wanneer de roos verwelkt openbaart zich de schoonheid van de struik,' zei hij tegen haar.

Dat nam haar de wind uit de zeilen. Ze verdween briesend naar binnen.

'Wat betekent dat nou weer?' vroeg ik toen ze uit beeld was.

'Geen idee, maar het is van Emily Dickinson.'

Ik zei dat het wel heel erg raar was om als jongen Emily Dickinson aan te halen, en hij stemde ermee in voortaan meer testosteronbewuste citaten te gebruiken.

Hij liet zijn ogen over de tuin van de buren gaan, inspecteerde de geruïneerde flora. 'Ach, een beetje sterven doet niemand kwaad,' zei hij. 'Het plaatst alles in perspectief. Herinnert ons eraan wat belangrijk is en wat niet.'

Tot nu toe had ik me weinig zorgen gemaakt over de vernielde beplanting van de buren. Secundaire schade, hè? Al was secundaire schade hier nogal zacht uitgedrukt – iets wat we pas later zouden begrijpen. Iedere man heeft nu eenmaal last van het donder-toch-op-met-je-gebruiksaanwijzingen-probleem. Gunnar en ik hadden zes vaten herbicide gekocht. We hadden de boel ermee ondergespoten zoals je kerstbomen met een laag kunstsneeuw bedekt, en we waren zeer tevreden over het resultaat. We hadden zo reclame voor dat spul willen maken. Alleen… als we de gebruiksaanwijzing hadden gelezen, hadden we geweten dat het een concentraat was – je weet wel, net als diepvriessinaasappelsap: we hadden één deel verdelgingsmiddel met tien delen water moeten mengen. Het kwam erop neer dat we voldoende van die troep in de bodem hadden gepompt om het tropisch regenwoud om te leggen.

Nu begonnen alle tuinen rondom die van Gunnar, zowel aan de voor- als achterkant, een onnatuurlijk bruintint aan te nemen, tegen het paarse aan. De stofschaal greep als een satanische vloek om zich heen.

Toen ik thuiskwam zag ik dat mijn moeder niet naar de zaak was, zoals meestal op zondagmiddag. Ze was aan het schoonmaken. Op zich niets bijzonders – maar het fanatisme waarmee ze liep te boenen baarde me zorgen. Misschien was de giftige schimmel weer opgedoken en vatte ze het deze keer persoonlijk op.

Het bleek nog veel erger te zijn.

'Tante Mona komt,' zei ze tegen me.

Ik draaide me naar mijn zusje toe, die in kleermakerszit op de bank zat, ofwel aan haar huiswerk, ofwel aan het proberen haar wiskundeboek te laten opstijgen. 'Nee, nee – zeg alsjeblieft dat het niet waar is!' smeekte ik.

Christina sloeg alleen haar ogen neer en schudde haar hoofd op de universele deze-patiënt-is-niet-meer-te-redden-manier.

'Hoe lang?'

'Hoe lang nog voor ze er is, of hoe lang ze blijft?' vroeg Christina.

'Allebei.'

Waarop Christina zei: 'Volgende week, en God mag het weten.'

Zo gaat het altijd met tante Mona. Een bezoek van haar heeft veel weg van een oorlogsbezetting. Ze is vreselijk veeleisend. We zeggen vaak dat ze zo'n 'warm' karakter heeft, omdat het zweet iedereen uitbreekt wanneer ze er is. Tante Mona vindt namelijk dat ze op haar wenken bediend moet worden – terwijl de enigen die pa en ma de laatste tijd op hun wenken hebben kunnen bedienen, de restaurantgasten zijn. Als tante Mona komt, wordt van ons verwacht dat we alles laten vallen om ons met haar bezig te houden. Nu het stofschaalproject voor de kerstvakantie af moest, er bij alle lessen overhoringen op het programma stonden, ik nog een afspraakje had met Kjersten en Gunnars ziekte als een dreigende storm in de lucht hing, was dat wel het laatste dat ik kon gebruiken.

Overigens is tante Mona een oudere zus van mijn vader. Ze heeft een goedlopend bedrijfje in parfum, dat ze importeert vanuit streken waarvan ik nog nooit heb gehoord en die ze misschien wel zelf heeft verzonnen. Ze draagt altijd haar eigen luchtjes. Ik verdenk haar ervan dat ze ze allemaal tegelijk opdoet, want wanneer ze bij ons is krijg ik galbulten van de dampen, en alle fauna ontvlucht de buurt.

Op zich is er niks mis mee dat ze een geslaagde zakenvrouw is. Ik bedoel, de moeder van mijn vriend Ira is ook zo'n carrièretijger, maar dat is een leuk, sympathiek en normaal mens. Dat kun je van mijn tante helaas niet zeggen. Die laat zich op een wrede, verknipte manier voorstaan op haar prestaties. Tante Mona is niet zomaar succesvol, nee, ze heeft Meer Succes Dan Jij, wie Jij toevallig ook mag zijn. Ze weet hoe dan ook wel iets te vinden om je het gevoel te geven dat je net zo'n zielige sukkel bent als je diep vanbinnen in je borrelende ingewanden altijd al vreesde.

Tante Mona maakt werkweken van ruwweg honderdveertig uur, en haar voorhoofd fronst als ze hoort dat anderen dat niet doen. Ze heeft een smetteloos hoogbouwappartement in Chicago, en ze trekt haar neus op als ze hoort dat anderen dat niet hebben. Al met al heeft ze het zo druk met haar voorhoofd fronsen en haar neus op-trekken, dat er een plastisch chirurg aan te pas heeft moeten komen om haar rimpels weer glad te strijken.

Het zal dus niemand verbazen dat tante Mona zichzelf be-schouwt als de opperrechter der Bonano's – al heeft ze haar eigen naam in Bonneville laten veranderen omdat dat deftiger klinkt. En alsof Bonneville nog niet kakkineus genoeg is, heeft ze een accent op haar voornaam gezet, zodat ze niet meer Mona heet maar Moná. Ik weiger uit principe het zo uit te spreken, en ik weet dat ze dat niet uit kan staan.

Het bleek dat tante Mona overwoog haar hele bedrijf naar New York te verplaatsen, dus ze zou wel een poosje blijven plakken. Ze had zich uiteraard best zo'n chique hotel kunnen veroorloven, waar de kamermeisjes zelfs tussen je tenen stoffen, maar bij ons in de familie hebben we een heilige traditie. Het houdt het midden tussen de Tien Geboden en de rechten waarop ze je wijzen als je wordt gearresteerd: Gij zult bij elk bezoek bij uw verwanten logeren, en alles wat u zegt kan en zal uw leven lang tegen u gebruikt worden.

Dus mijn moeder stond de meubels in de eetkamer met boenwas te bewerken tot alles blonk en glom, en ze zei tegen me: 'Denk erom dat je je netjes gedraagt tegen haar.'

'Ja, ja,' zei ik; het was altijd hetzelfde riedeltje.

'Je blijft beleefd tegen haar, of je het nu leuk vindt of niet.'

'Ja, ja.'

'En je trekt dat overhemd aan dat ze je heeft gegeven.'

'Dat had je gedroomd.'

Ze grinnikte. 'Als ik over dat overhemd zou dromen, was het een nachtmerrie.'

Ik moest ook lachen. Het feit dat ook zij het roze-met-oranje 'designer'-shirt het lelijkste kledingstuk uit de geschiedenis vond, maakte het op de een of andere manier minder erg om het aan te moeten. Alsof het daardoor een geintje voor intimi werd in plaats van gewoon een afzichtelijk kreng.

Ik pakte een doek en begon de bovenkant van de servieskast te poetsen, waar zij zelf moeilijk bij kon. Ze glimlachte naar me omdat ik het uit mezelf deed.

'Moet ik er ook de straat mee op?' vroeg ik.

'Nee hoor,' antwoordde ze. 'Heel misschien,' zei ze toen. 'Waarschijnlijk wel,' besloot ze.

Ik protesteerde niet, want dat had geen enkele zin. Als het op tante Mona aankomt, zijn je winkansen nog kleiner dan in het casino van het Anawana-reservaat. Trouwens, rondlopen in dat shirt leek nog een minder zwaar lot dan dat van ma en Christina. Zij zouden een van tante Mona's parfums moeten dragen.

De bel ging. Mijn moeder verstarde en keek me met grote angstogen aan. Ik wist wat ze dacht. Tante Mona hield zich nooit aan de afgesproken tijd. Ze kwam eerder, ze kwam later, ze kwam op een heel andere dag. Maar een hele week te vroeg?

'Nah,' zei ik tegen haar, 'het zal toch niet.'

Ik liep de gang in om open te doen, me schrap zettend tegen een aanval van vleesverterende walmen. Maar in plaats van tante Mona stonden er twee kinderen van een jaar of acht, negen op de stoep, die me allebei een stuk papier toestaken.

'Hallo, we zijn tijd aan het ophalen voor een jongen die doodgaat of zo – wilt u misschien ook iets geven?'

'Laat zien!' Ik griste een van de velletjes uit hun handen. Het was mijn eigen blanco contract – een tweede- of derdegeneratiekopie zo te zien. Iemand had vervalsingen in omloop gebracht!

'Hoe komen jullie hieraan? Van wie mogen jullie dit doen?'

'Van onze meester,' antwoordde de ene.

'De hele klas is ermee bezig,' zei de andere.

'Doet u nou mee of niet?'

'Donder op.' Ik smeet de deur voor hun neus dicht.

Blijkbaar was de inzameling voor Gunnar inmiddels een lagereschoolactiviteit geworden. Ik voelde me aangerand. Bedrogen. Verraden door het onderwijssysteem.

Mijn ouders kon ik er niet mee lastigvallen, die hadden al genoeg aan hun hoofd, en die zouden vast gewoon 'nou en?' zeggen, en ze zouden nog gelijk hebben ook. Het was kleinzielig en bekrompen om te denken dat het idee mijn eigendom was, maar het punt was dat ik ervan genoot de Meester des Tijds te zijn. Nu waren er anderen mee aan de haal gegaan, gingen ze er op eigen houtje mee verder, zonder officiële leiding. Daar is een woord voor: anarchie. En anarchie leidt altijd tot ellendige toestanden, zoals boeren met hooivorken en mensen die van alles in de fik zetten met toortsen.

'Je moet die kinderen als discipelen zien,' zei Howie toen ik hem er de volgende dag over vertelde. 'Jezus' discipelen deden ook al het werk voor hem toen hij er niet meer was.'

'Ja, nou ja. Ik ben er nog wel – en trouwens, Jezus kénde zijn discipelen tenminste.'

'Omdat ze in die tijd door het gebrek aan technologie gedwongen waren elkaar te kennen. Door de computer hoeft dat tegenwoordig niet meer.'

Vervolgens begon hij te wauwelen over dat de Bergrede vandaag de dag een blog zou zijn, en de tien plagen van Egypte een realityserie. Allemaal zijwegen die niks met het onderwerp te maken hadden, dus ik zei tegen hem dat ik ervandoor ging, maar dat hij het gesprek vooral zonder mij voort moest zetten.

Achteraf denk ik dat het beledigde, verontwaardigde gevoel dat me bekroop de eerste waarschuwing was. Ik besefte dat het uit de hand begon te lopen – niet alleen uit MIJN hand, maar uit de algemene hand. Mijn idee om Gunnar op te beuren door hem een maand cadeau te doen was uitgegroeid tot een monster. En iedereen weet hoe het met monsters afloopt. Weer die hooivorken en vlammende toortsen. Mensen denken nu eenmaal dat monsters geen ziel hebben.

En het bleek dat ze deze keer gelijk zouden krijgen. Mijn monster had geen ziel... en dat zou ik maar al te snel ontdekken.

Bij Flatlands Avenue ligt een sloperij waar ze bruikbare onderdelen uit auto's halen, waarna de auto's op gigantische stapels worden gegooid voordat ze tot blokken metaal zo groot als salontafels worden geperst. Het is zo'n plek die je in een droom zou kunnen bedenken, hoewel de blokken metaal in een droom tegen je zouden praten, omdat ze bezeten zouden zijn door de geesten van de moordslachtoffers die in de kofferbak waren gepropt voordat de wagen werd verpletterd.

Gunnar en ik gingen erheen om roestig schroot te zoeken. We wilden het gebruiken om de troosteloze sfeer van onze stofschaal kracht bij te zetten.

Ik deed het meeste speurwerk, want Gunnar was in beslag genomen door de catalogus die hij bij zich had.

'Wat vind je van deze?' vroeg hij me terwijl ik bij een partij bumpers stond die veel te modern waren voor ons doel.

Ik keek niet op, want ik wilde er niks mee te maken hebben. 'Weet je wat, waarom maak je er geen verrassing van?'

'Toe nou, Antsy, ik wil je mening weten. Ik vind deze witte mooi, al is die is misschien een beetje te meisjesachtig. En deze ook, maar die is weer van hetzelfde hout als onze keukendeurtjes. Dat zou wel erg bizar zijn.'

'Het is sowieso bizar,' zei ik tegen hem.

'Het moet nu eenmaal gebeuren.'

'Laat iemand anders het dan doen. Wat kan het jou verder schelen? Jij ligt er straks in, je hoeft er niet naar te kijken.'

Nu was hij op zijn tenen getrapt. 'Het gaat om het beeld dat ik wil achterlaten, snap dat dan. Hij moet bij mijn persoonlijkheid passen, bij de herinnering die ik wil achterlaten. Het draait om imago – zoals bij het kopen van je eerste auto.'

Ik wierp een blik in de catalogus en wees iets aan. 'Nou, neem die staalgrijze dan maar,' zei ik met weerzin. 'Die heeft wat weg van een Mercedes.'

Hij keek ernaar en knikte. 'Ja, met een Mercedes-embleem erop, dat is wel cool.'

Het feit dat Gunnar over doodskisten kon praten alsof het niks voorstelde was niet alleen griezelig, ik werd er kwaad om. 'Kun je niet net doen alsof alles in orde is en gewoon je leven leiden, zoals normale terminale mensen?'

Hij nam me op alsof er iets mis was met mij in plaats van met hem. 'Waarom zou ik dat doen?'

'Je hoort er niet van te genieten. Dat is het enige dat ik wil zeggen. Geniet van *andere* dingen, maar niet van... dat.'

'Is het soms verkeerd een gezonde houding te hebben tegenover je eigen sterfelijkheid?'

Voordat ik de vraag kon laten bezinken, hoorde ik achter me iemand roepen.

'Yo! Mannen!'

Ik draaide me om en zag een bekend gezicht achter een stapel achterlichten vandaan komen. Skaterdud. Hij gaf me zijn officiële achtdelige handdruk, die ik inmiddels vaak genoeg had gedaan om het onder de knie te hebben. Hij deed het ook met Gunnar, die zich er overtuigend doorheen nepte.

'Heb je die onwijze donatie van me nog ontvangen?' vroeg Skaterdud aan hem.

'Huh?' zei Gunnar. 'O ja – dat hele jaar. Te gek was dat.'

'Vloeibare stikstof, man, te gek zoals in invriezen-met-die-hap-tot-ze-een-middel-hebben, heb ik gelijk of heb ik gelijk?'

'Nee... ik bedoel ja. Bedankt.'

'Hé, man, ooit aan gedacht – een vorstperiode? Cryonie-techniek? Walt Disney schijnt stijf bevroren onder de Dumbo-draaimolen te liggen. De koudste plek op aarde, toch? Fabeltastisch!'

'Eerlijk gezegd,' zei ik, 'is dat een broodje aap.'

'Oké,' gaf Skaterdud toe, 'maar zou je niet willen dat het echt kon?'

Het drong tot me door dat ik het elastiek van de rede was tussen deze twee kaken van de dood. Aan de ene kant stond Gunnar, die het sterven tot het brandpunt van zijn leven had gemaakt, en aan de andere stond Skaterdud, die zijn voorspelde noodlot zag als een vrijbrief om drie decennia lang elk gevaar te negeren.

Plotseling wilde ik alleen nog maar ontsnappen aan deze gapende bek van de waanzin. 'Hoor eens, Skaterdud, ik moet er zo vandoor,' zei ik, bij wijze van uitzondering blij dat ik in het restaurant moest komen opdraven om water in te schenken. 'Waar kunnen we onderdelen vinden die zo oud en smerig zijn dat echt niemand ze meer wil?'

Het bleek dat Skaterdud het sloopterrein als zijn broekzak kende – zijn vader was degene die de auto's vermorzelde.

'Rechtdoor en dan bij de knalpotten linksaf,' antwoordde hij. 'Wel oppassen. Geen ratten hier die geen steroïdenprobleem hebben. En dan heb ik het over poedels, *comprende?*'

'Ik ben niet bang voor ratten,' zei Gunnar.

Zelf heb ik helemaal niks met harige beesten met niet-harige staarten. Terwijl ik huiverig door de hoop schroot rommelde die hij had aangewezen, vroeg ik me af of ik me eerder als Gunnar of als Skaterdud zou gedragen als ik het tijdstip van mijn definitieve schorsing zou weten. Zouden de duistere holten van het leven me dan geen angst meer inboezemen?

'Je hebt gelijk,' zei Gunnar zonder aanleiding. Hij legde zijn catalogus neer en stak zijn arm diep naar binnen om een zuiger los te trekken. 'Ik neem die staalgrijze kist. Die is stijlvoller.'

Misschien is het raar, maar als het op rattenholen aankomt ben ik liever bang dan onverschillig.

Terwijl Gunnar op zoek ging naar een doos waarin we de spullen mee konden nemen, riep Skaterdud me naar zich toe. Hij wachtte tot Gunnar buiten gehoorsafstand was. 'Er zit niks niet helemaal lekker bij die vriend van je,' zei hij.

Ik was te moe om zijn Dudiaans te ontcijferen, dus ik haalde alleen mijn schouders op.

'Nee, luister, ik zie dingen die niemand anders ziet.'

Daar hoorde ik niet echt van op. 'Wat voor dingen?'

'Gewoon, dingen. Maar het zijn meer de dingen die ik *niet* zie waarvan ik stekelvarkens in mijn nek krijg.' Hij keek naar waar Gunnar liep en schudde zijn hoofd. 'Er zit totaal niks niet helemaal lekker bij hem. En als je het mij vraagt, is die gozer een tikkende ijsberg.'

Met een zware doos vol onderdelen stapten we in de bus naar huis. Iedereen die te dicht langsliep zat meteen onder de olievlekken. We waren vrij stil, vooral doordat ik zat te piekeren over wat Skaterdud had gezegd. Praten met de Dud bleef een beproeving voor je gezonde verstand, maar als je de tijd nam om zijn woorden te decoderen, bleek er vaak wel iets in te zitten. Hoe langer ik erover nadacht, hoe meer ook ik het stekelvarkengevoel kreeg waarover hij het had gehad – want ik realiseerde me dat hij gelijk had. Het had te maken met Gunnars emotionele toestand. Het had te maken met verdriet. Ik had Gunnars gedrag voor mezelf lopen goedpraten, alsof het op de een of andere manier normaal was onder de omstandigheden, want laten we eerlijk zijn, ik was nooit eerder omgegaan met iemand wiens houdbaarheidsdatum al vaststond. Ik kon moeilijk inschatten wat doorsnee zonderling was en wat niet.

Toch had zelfs ik wel eens gehoord over de vijf stadia van rouw.

Eigenlijk ligt het allemaal nogal voor de hand. Het eerste stadium is ontkenning.

Het moment waarop je in de goudvissenkom kijkt die je al maanden niet hebt schoongemaakt en ziet dat Mr. Moby officieel zijn functie heeft neergelegd. Je zegt tegen jezelf: Nee, het is niet waar! Mr. Moby drijft niet ondersteboven – hij doet gewoon een kunstje.

Die ontkenning is nogal dom, maar wel begrijpelijk. Volgens mij zijn onze hersens nou eenmaal traag met het verteren van grote, bittere nieuwsbrokken.

Pas wanneer de hersens zich realiseren dat de dubbeldikke hamburger zich niet uit laat kotsen, gaan ze naar stadium twee. Woede.

Woede lijkt mij een stuk logischer. Hoe DURFT het universum zo gemeen te zijn om een hulpeloze goudvis van het leven te beroven!

Je schopt een gat in de muur, of je slaat je broer in elkaar – je doet wat je ook maar doet als je woest bent en niemand in het bijzonder de schuld kunt geven.

Wanneer je eenmaal weer bij zinnen komt, bereik je stadium drie. Onderhandelen.

Als ik nou heel braaf ben, een kompres haal voor het blauwe oog van mijn broer, de vissenkom schoonmaak en hem met mineraalwater vul, dan zullen ze boven zo tevreden zijn dat ze Mr. Moby weer tot leven wekken.

Vergeet dat maar.

Wanneer je inziet dat niets je goudvis nog terug zal brengen, beland je in stadium vier. Verdriet.

Je schrokt een bak ijs leeg, zet een troostfilm op. Iedereen heeft zijn eigen troostfilm, de film die je altijd afdraait als je het gevoel hebt dat de wereld vergaat. De mijne is *Buffet of the Living Dead*. Niet de remake, maar de originele. Hij herinnert me aan een vriendelijker, simpeler tijd, toen je mensen nog van zombies kon onderscheiden, en alleen de hersens van de állerdomste tieners werden opgevreten.

Rolt de aftiteling eenmaal, en heb je stadium vier afgerond, dan ben je toe aan stadium vijf. Aanvaarding.

Het begint met het doortrekken van het toilet, waarmee je Mr. Moby naar de eindbestemming van alle goudvissen stuurt, en het eindigt ermee dat je je ouders om een hamster vraagt.

Terwijl ik daar in de bus zat met een doos auto-onderdelen op schoot en Gunnar weer door zijn catalogus bladerde, begreep ik ineens precies wat Skaterdud had bedoeld.

Gunnar had de eerste vier stadia overgeslagen.

Hij was direct met de aanvaarding begonnen. Iedereen zou bij zo'n drama ver uit de bocht zijn gevlogen, maar Gunnar manoeuvreerde er soepeltjes omheen. Er was iets grondstoffelijk mis met zijn houding. Misschien was zijn systemische pulmonale monoxie inderdaad maar het topje van de ijsberg, zoals Skaterdud had gesuggereerd.

We hadden de hele klas uitgenodigd om een paar avonden later naar onze verstuiving te komen kijken. We hadden ze een 'authentiek stofschaaldiner' beloofd. Omdat ze wisten dat mijn vader een restaurant had, kwamen er maar liefst dertien mensen daadwerkelijk opdagen – inclusief onze lerares, dus we konden het werkstuk ter plekke presenteren. We serveerden per persoon één enkele erwt op een zanderig bordje, om te benadrukken wat het in 1939 betekende om honger te lijden. De leerlingen vonden het een lullige streek, maar Mrs. Casey kon de ironie wel waarderen. Iedereen bleef maar vragen waar die chemische lucht vandaan kwam, en ik bleef maar naar de lucht staren, biddend om regen, waardoor ik er waarschijnlijk uitzag als een van Steinbecks personages – hoewel het groeien van het graan mij niet interesseerde, ik wilde alleen maar dat het herbicide wegspoelde.

Gunnar nam de mondelinge toelichting op zich, en ik overhandigde Mrs. Casey de schriftelijke vergelijking tussen het boek en de film. Ze vond dat we een geloofwaardige opstelling hadden gemaakt, wat kennelijk beter was dan ongeloofwaardig, want we kregen een tien. Ik vraag me af wat ze zou hebben gezegd als ze Gunnars onvoltooide grafsteen had gezien, die ik hem onder dwang met een aardappelzak had laten afdekken voordat iedereen arriveerde. Toen ze het verslag teruggaf, zat er een contract voor twee maanden achter geniet, ondertekend door haarzelf en een getuige.

Later die avond schoof ik achter mijn computer om aan mijn gepieker te ontsnappen, of om me in elk geval met nutteloze zaken bezig te kunnen houden. Achter de pc leer je namelijk te multitasken zoals ze dat noemen, en meestal zijn de dingen die je moet multitasken zo onbelangrijk dat je er urenlang mee zoet kunt zijn zonder ook maar één zinnige gedachte te hebben. Een uitkomst is het. Ik zit te chatten met allerlei mensen, probeer de gesprekken aan de gang te houden terwijl ik tegelijk mijn e-mail doorneem, vol LOL's en OMG's die geeneens F zijn, en ondertussen mik ik de standaard spam weg, zoals van al die figuren in Zimbabwe die veertienduizend miljoen aan me willen geven, en de aanbiedingen voor pillen waarmee je 'gegarandeerd' je spieren en wat al niet kunt vergroten.

Hoe dan ook, ik zat de boel te schiften, toen mijn blik bleef hangen op iets waar ik maar zelden aandacht aan besteed: de banner onder aan het scherm. Meestal zijn het rammelende animaties met een tekst zoals SCHIET OP HET VARKEN EN MAAK KANS OP ONZE HYPOTHEEK. Ik heb mezelf er nooit toe verlaagd op het varken te schieten. Maar deze keer was het enige dat er in de banner stond, een korte vraag in felrode letters.

WAT MANKEERT U?

Ik moet hem eerder hebben gezien, maar dan is-ie nooit verder dan mijn onderbewustzijn gekomen. Het is precies de vraag die ik mezelf geregeld stel wanneer ik achter mijn pc zit.

Ondertussen eisten alle chatters antwoord. Ira stond bovenaan. Hij was net bezig me ervan te overtuigen dat films van vroeger veel beter zijn dan die van tegenwoordig. Wat dat betreft is hij ineens nogal een snob geworden, en als je bij hem thuis bent, dwingt hij je telkens naar klassiekers als *Casablanca* en *Alien* te kijken. Na ongeveer een halfuur daarover te hebben gedebatteerd, was hij het onderwerp zat geworden en zat nu flauwe moppen te vertellen. Daar verzandt hij uiteindelijk altijd weer in, hoe elitair hij zich ook voordoet. Ik negeerde het geknipper en hield mijn blik op de reclame gericht. Nu begon het antwoord door de banner heen te dansen.

WAT MANKEERT U?
VRAAG HET DR. GYGABITE!

Eerst grinnikte ik alleen maar. Je hebt tegenwoordig overal een website voor. Het was de volgende zin die insloeg als een bom.

Ik staarde knipperend naar de tekst, schudde mijn hoofd. Gunnars specialist was ook een 'Dr. G.' Toeval natuurlijk. Dat moest wel. Ik bedoel, een op de zesentwintig artsen is immers een dokter G, hè? Nou ja, niet exact, maar je begrijpt wat ik bedoel.

Een schep roomijs, een scheutje limonade en een dood hondje, stond er in Ira's msn. Hij wachtte op mijn LOL, maar op dat moment had ik een ander hondje te wassen.

RUST?

BRB, tikte ik.

Ik wilde het Dr. G-gedoe negeren, maar het lukte me niet. Het had zich vastgebeten in mijn kop.

Misschien is het geen flessentrekkerij, probeerde ik mezelf voor te houden. Misschien is het wel een bevoegde arts die online consulten geeft.

Wat zei het ene dode hondje tegen het andere dode hondje?

Interesseert me niet, antwoordde ik. *GTG. TTYL.* En ik verzon er *IGSINTDRN* achteraan. Terwijl ik het venster sloot, gniffelde ik bij het idee dat Ira uren zoet zou zijn om uit te puzzelen wat dat betekende.

Er gleed een reeks andere reclames voorbij. Zingende kippen, mensenetende frietjes, aliens uitgedost als travestieten. Het was me een raadsel waar ze allemaal voor adverteerden, en ik wilde het eigenlijk niet weten ook. Uiteindelijk kwam de banner van Dr. G weer in beeld. *WAT MANKEERT U?* Ik klikte hem aan.

Ik werd naar een heel professioneel uitziende pagina geleid waarop ik mijn symptomen moest invoeren. Had ik symptomen? Nou ja, ik heb dringend nieuwe schoenen nodig omdat mijn oude te klein zijn geworden, dus ik had zere tenen. Ik tikte in: *Tenen doen pijn*. Vervolgens kreeg ik nog een stuk of twintig vragen, die ik allemaal zo eerlijk mogelijk beantwoordde.

Zijn uw tenen verkleurd?
Nee.
Woont u in een koud klimaat?
Ja.
Zijn uw enkels opgezwollen?
Nee.
Bent u onlangs door een knaagdier gebeten?
Niet dat ik weet.

Toen ik klaar was, liet de website me een poosje wachten, en hoewel ik wist dat het allemaal onzin was, voelde ik hoe de spanning zich opbouwde. Met een hoop geflakker verscheen de diagnose in beeld.

U lijdt wellicht aan reumatische jicht, gecompliceerd door loodvergiftiging.
Ter preventie van amputatie of vroegtijdig overlijden raden wij u aan een volledige diagnose te laten stellen, hier te verkrijgen voor $49.95.
Alle bekende creditcards worden geaccepteerd.

Toen ik op *nee dank u* klikte, werden me allerlei pillen aangeboden om de symptomen te verlichten, die als gunstige bijwerking hadden dat ze spieren en wat al niet gegarandeerd zouden vergroten.

Ik probeerde het nog drie keer. Mijn knorrende maag wees op darmgangreen. Mijn stijve nek duidde op spinale meningitis. De blekere huid onder mijn horloge was te wijten aan niet-erfelijke melaninedeficiëntie. Het kon allemaal uitgebreider worden gediagnosticeerd voor $49.95, en het was allemaal te behandelen met dezelfde tabletten.

Die avond legde ik al ijsberend hele afstanden af. Zoveel zelfs dat Christina, die verdiept was in haar huiswerk, het opmerkte.

'Wat heb jij?' vroeg ze terwijl ik langs haar kamer drentelde.

Ik overwoog het haar te vertellen, maar in plaats daarvan vroeg ik alleen maar: 'Heb jij wel eens van Dr. Gigabyte gehoord?'

'O, die. Volgens hem was mijn puistje een teken van vergevorderde lepra.'

Me vastklampend aan de laatste strohalm van de rede zei ik: 'En als dat nou eens waar is?'

'O, wás het maar waar,' zei mijn zusje. 'In een leprozenkolonie wonen lijkt me nog beter dan dit hier.' En daarmee richtte ze zich weer op haar wiskundeboek.

Het is onbeschrijflijk wat een troebele wirwar van emoties er door je heen gaat op het moment dat je beseft dat je vriend waarschijnlijk helemaal niet doodgaat, maar dat hij je heeft belazerd. Hoe goed je hem ook dacht te kennen, het blijkt dat je hem juist voor geen meter kent.

Ik had nog geen bewijzen, alleen maar vermoedens – per slot van rekening kon Gunnar een heel andere Dr. G hebben – maar mijn intuïtie liet zich niet tot zwijgen brengen. Hoe langer ik erover nadacht, hoe zekerder ik ervan werd. Als Gunnar geen terminale ziekte had, zou dat het gedrag van zijn ouders en Kjersten voor een groot deel verklaren. Bijvoorbeeld dat ze er nooit over praatten, alsof... nou ja, alsof het niet waar was. Trouwens, hoe zat het eigenlijk met Kjersten? Speelde die het spelletje gewoon met hem mee? Dat Gunnar net deed alsof hij nog maar kort te leven had kon ik met een beetje moeite nog wel verkroppen, maar ik weigerde te geloven dat Kjersten eraan meedeed. Waardoor ik me realiseerde dat ik haar óók helemaal niet zo goed kende.

Natuurlijk hoopte ik dat zijn ziekte inderdaad geveinsd was, maar tegelijkertijd werd ik nu al kwaad bij die gedachte. Ik had me zo uitgesloofd om maanden voor hem in te zamelen, met het idee dat ik iets edelmoedigs deed – iets om zijn laatste tijd wat draaglijker te maken – en hij had alles aangenomen zonder ook maar even te laten doorschemeren dat hij had gelogen. Als hij de boel besodemieterde, dan was iedereen erin getrapt – dat bewees die stomme thermometer bij de administratie wel. Oké, ik zou dolblij zijn als bleek dat hij niet doodging – maar ik kon de donkere rivier van razernij die onder de oppervlakte kolkte, niet negeren. De ideale omstandigheden voor een verdwijngat.

Toen ik die avond Gunnars straat inkwam zag ik Mr. Ümlaut op de
stoep staan. Ik had gehoopt dat hij weg zou zijn, want zijn aanwezigheid maakte me nog nerveuzer. Zijn Lexus stond op de oprit,
maar dat zou niet lang meer duren, want die werd net aan een sleepwagen vastgehaakt.

Mooi, dacht ik. Zolang zijn wagen in de garage staat, kan hij
niet telkens naar dat casino.

Ondanks de kou stond hij in zijn onderhemd toe te kijken hoe
zijn auto werd opgetild, met afhangende schouders, zijn handen diep
in zijn zakken gestoken.

'Hallo,' zei ik onzeker. 'Ik wil Gunnar spreken.'

'Ja, ja, die is binnen.'

Hij keek me niet aan, hij haalde zijn handen niet uit zijn zakken.
Als ik had gezegd dat ik Attila de Hun wilde spreken, had hij vast
ook 'ja, ja, die is binnen' gemompeld.

De voordeur stond op een kiertje. Ik duwde hem verder open en
liep door. Vanuit de gang zag ik dat Gunnar en Kjersten in de woonkamer waren. Gunnars iPod stond zo hard dat ik het nummer vanaf
deze afstand al herkende. Kjersten zat op de bank – niet op de manier waarop je normaal gesproken op een bank zit, maar stijf
rechtop, alsof het een keukenstoel was. Ik begreep meteen dat er
een fikse ruzie had plaatsgevonden. Mrs. Ümlaut was nergens te be-
kennen, maar ik vermoedde dat ze zich ofwel boven had opgesloten,
of in de kelder als een bezetene de was stond te doen, of ergens anders was waar ze alleen kon zijn met de emoties die in haar waren
opgewekt, wat die emoties ook mochten zijn. Ik vroeg me af of het
iets te maken had met de kapotte auto.

Kjersten was de eerste die me opmerkte, maar ze glimlachte niet
naar me en begroette me niet. Ze leek zelfs allesbehalve blij om me te

zien. Gegeven de situatie was ik ook niet erg blij om haar te zien, maar ik hield mezelf voor niet te oordelen voordat ik wist wat er loos was.

'Hoi,' zei ik zo nonchalant als in het menselijk vermogen ligt, 'hoe is het?'

'Antsy, het komt niet zo goed uit nu.'

Nou, misschien was het drammerig van me, maar ik was hier met een missie en ik zou me niet uit het veld laten slaan. 'Ik moet je broer spreken,' zei ik tegen haar.

'Antsy, alsjeblieft – kom gewoon een ander keertje terug, oké?'

'Het is dringend.'

Kjersten slaakte een gelaten zucht en gooide een bankkussen naar Gunnar om zijn aandacht te trekken.

Hij zag me staan en trok zijn oortelefoontjes uit. 'Ha, je bent net op tijd om getuige te zijn van een mijlpaal in onze familiegeschiedenis,' zei hij met een gezicht dat tegelijk berusting, walging, leedvermaak en woede uitstraalde – een combinatie van emoties die ik doorgaans alleen associeerde met de ouwe Crawley. 'Ga zitten en geniet van de voorstelling. Wil je er wat popcorn bij?'

Er vloog nog een kussen zijn kant op. 'Wat ben *jij* toch een debiel!' riep Kjersten.

'Ik kom over Dr. G praten,' kwam ik direct ter zake. 'Of kan ik beter Dr. Gigabyte zeggen?'

Zijn uitdrukking verhardde, en hij veranderde langzaam in een stoppelvrije versie van zijn vader. Op dat moment besefte ik dat mijn wantrouwen gegrond was. Het stond allemaal te lezen in die ene blik.

'Er valt niks te praten,' zei hij.

'Volgens mij wel.'

Hij drong zich langs me heen de gang op. 'Als je zo nodig wilt praten, praat je maar gezellig met Kjersten – je praat toch veel liever met haar.' En weg stoof hij, de trap op. Even later hoorde ik boven een deur dichtslaan.

Ik draaide me naar Kjersten toe, maar die keek weg. Niet dat ze me bewust negeerde, ze had alleen duidelijk belangrijkere dingen aan haar hoofd.

Zelf kon ik me nauwelijks voorstellen dat een beetje huiselijke onenigheid belangrijker was dan het feit dat haar broer iedereen voorloog dat hij een terminale ziekte had.

Ik had alleen de kans niet gekregen Gunnar er rechtstreeks mee te confronteren. Het antwoord hing loodzwaar in de lucht, maar de vraag moest nog worden gesteld.

'Gunnar is helemaal niet ziek, hè?'

Eindelijk keek ze me aan, met een vreemde uitdrukking die nog het meest weg had van verbijstering. 'Dit meen je niet, hè?' vroeg ze.

'Dus... hij is wél echt ziek?'

'Natuurlijk niet!' Ze nam me een poosje op om te taxeren of ik het serieus had bedoeld, en toen verscheen er een zorgelijke frons. 'Wat? Wil je beweren dat je het niet wist?'

Ik was compleet van mijn stuk gebracht. Ik kon alleen maar wat stamelen. Uiteindelijk klemde ik mijn mond lang genoeg dicht om mijn spraak weer onder controle te krijgen en zei eenvoudigweg: 'Nee, ik wist het niet.'

'Je deed het niet alleen maar om het hem naar de zin te maken? Je speelde niet gewoon mee?'

'Waarom zou ik dat doen?'

'Omdat je zo lief bent.'

'Zo lief ben ik nou ook weer niet!'

'Dus je hebt de hele tijd... al die contracten... je geloofde echt dat hij doodging?' vroeg Kjersten. 'Ik dacht dat het gewoon een slimme manier was om Gunnar wakker te schudden zodat hij de waarheid toe zou geven!'

'Zo slim ben ik nou ook weer niet!'

Ze sloeg haar handen voor haar mond. 'O nee!'

Kennelijk was ze ervan uitgegaan dat iedereen wist dat Gunnar maar deed alsof. Nu zag ik al haar denkbeelden omtuimelen als dominostenen. Als ik het niet door had gehad, dan hadden de andere leerlingen het ook niet doorgehad, wat betekende dat de hele school ervan overtuigd was dat Gunnar doodging.

Haar verbazing riep tegelijk medelijden en irritatie bij me op.

'Dacht je soms dat de directeur zoiets zou meespelen?' vroeg ik.

'Sinclair?'

'Dacht je dat ze die stomme thermometer voor de lol hebben neergezet?'

'Welke thermometer?'

Ze had het blijkbaar zo druk gehad met haar tennistraining, de debatclub en de atmosferische storingen thuis, dat haar het een en ander was ontgaan. Ik legde haar uit wat er allemaal was gebeurd. Mijn optreden bij het ochtendnieuws had ze gemist, de thermometer was haar nooit opgevallen. Ze wist dat de maanden voor Gunnar binnenstroomden, maar ze dacht dat alleen andere scholieren eraan meededen. Ze had geen idee dat het tot iets 'officieels' was uitgegroeid, en dat ook de leraren inmiddels aan het doneren waren geslagen.

'Laatst had Sinclair iets op het antwoordapparaat ingesproken,' zei ze. 'Maar dat heb ik gewist voordat ik het helemaal had afgeluisterd – ik dacht dat het zo'n automatisch bericht was dat we zo vaak van school krijgen.'

Op zich was dat wel begrijpelijk, want Sinclairs stem klonk inderdaad ingeblikt. Ik had alleen zo'n vermoeden dat er nog wel meer boodschappen waren achtergelaten, en dat Gunnar die zelf had gewist, donders goed wetend dat het geen opnames waren.

Ineens schoot me iets te binnen wat Kjersten net had gezegd. Ze had gedacht dat ik probeerde Gunnar 'wakker te schudden'.

'Zou Gunnar die Dr. Gigabyte soms geloven?' vroeg ik. 'Denkt hij serieus dat hij doodgaat?'

'Hoe moet ik dat nou weten?' zei ze geërgerd. 'Je weet hoe hij is – niemand kan hoogte van hem krijgen.'

Het was een opluchting dat ik niet de enige was. Als zijn eigen zus hem al niet kon doorgronden, was hij wel een heel groot mysterie – en ik een minder grote sukkel.

Buiten hoorde ik het krassen van metaal op steen. Ik keek uit het raam en zag de sleepwagen de oprit afrijden. De onderkant van de Lexus schraapte over de stoeprand. Mr. Ümlaut stond hem na te staren. Ik verwachtte bijna dat hij zou zwaaien.

'Wat is er met jullie auto?' vroeg ik in een poging van onderwerp te veranderen.

'Hij is niet van ons,' zei Kjersten. 'Niet meer in elk geval.' Ze stond op en sloot de jaloezieën zodat ze niet naar haar vader hoefde te kijken. 'Hij is in beslag genomen.'

Ik wist wel zo ongeveer wat dat inhield. Mijn ouders hadden op een dag geld geleend om een auto voor mijn broer Frankie te kopen. Hij zou een parttime baantje nemen om zijn schuld terug te betalen. Alleen was hij die afspraak niet nagekomen, en de ruzies bij ons thuis hadden een tijd lang nergens anders meer om gedraaid. Mijn vader had ten slotte geroepen dat hij de wagen door de bank in beslag zou laten nemen om Frankie een lesje te leren. Zover was het nooit gekomen, want mijn broer was uiteindelijk toch gaan werken en aflossen. Op den duur was de stroom dreigende telefoontjes en brieven opgedroogd. Ik vroeg me af hoeveel brieven en telefoontjes je moest negeren voordat ze daadwerkelijk bij je op de stoep stonden.

'Mijn vader heeft geprobeerd ze te dwarsbomen door een paar slangen los te trekken zodat hij niet meer reed, maar toen hebben ze een sleepwagen besteld.'

'Wat erg,' was het enige dat ik wist te zeggen. Nu voelde ik me schuldig omdat ik de hele toestand had afgedaan als een onbenullige familieruzie – maar voordat ik mezelf voor mijn kop kon slaan, tikte ik een zoekopdracht naar ultracoole Antsy in, die tegenwoordig gemakkelijker te vinden leek. Zonder ook maar even te hoeven nadenken wist ik wat hij zou doen. Ik liep naar Kjersten toe en gaf haar zacht een zoen. Ze zoende me nogal vurig terug, dus ik zoende verder met een wat hoger voltage, en dat beantwoordde ze met genoeg elektriciteit om heel Times Square te verlichten, maar voordat de stroomonderbrekers door zouden branden zetten we de schakelaar om, want we begrepen allebei dat we dit nu niet konden maken. Dat had ik weer.

'Pak Gunnar niet te hard aan,' zei ze tegen me.

'Hé, jij bekogelt hem zelf met kussens.'

Op dat moment voelden we een koude luchtvlaag. Mr. Ümlaut stapte binnen en zag mij veel te dicht bij zijn dochter staan. Ik maakte geen aanstalten achteruit te stappen. Soms moet je als man voet bij stuk houden.

'Ik dacht dat jij iets te regelen had met Gunnar,' zei hij.

'Ja, nou ja, ik heb zoveel te regelen.'

Hij keek van mij naar Kjersten en weer naar mij, alsof hij een tenniswedstrijd volgde. Uiteindelijk bleven zijn ogen op haar rusten, en hij stak een pedagogisch waarschuwend vingertje omhoog. 'Hier is het laatste woord nog niet over gezegd.'

Zonder mij nog een blik waardig te keuren liep hij verder de gang in, en ik hoorde de deur van zijn studeerkamer dichtgaan. Hier in huis viel de ene deur na de andere dicht.

'Hij komt er toch niet op terug,' zei Kjersten. 'Dat roept hij altijd, maar we praten nooit ergens over.' Ze glimlachte naar me, maar het was een glimlach zonder veel vreugde.

'Tja.' Ik schudde begripvol mijn hoofd. 'Ouders en beloften...' Mijn eigen vader kwam zijn beloften – en dreigementen – ook nog maar weinig na sinds hij het restaurant was begonnen. Maar Mr. Ümlaut kon zich niet achter zijn werk verschuilen.

'Kon ik de tijd maar een paar jaar terugdraaien,' zei Kjersten. 'Toen alles nog normaal was. Of toen ik in elk geval nog zo naïef was om dat te denken.' Er keerde wat warmte terug in haar blik terwijl ze me aankeek. Ik was blij dat ik dat effect op haar had. 'Jij boft maar dat je nog zo jong bent – jij hebt je hele toekomst nog voor je.'

Ik moest lachen. 'Jij niet dan?'

Ze gaf me een licht kusje op mijn voorhoofd en staarde toen naar de olievlek op de oprit, waar haar vaders auto had gestaan. 'Mijn toekomst is nogal onzeker.'

'Wie je ook bent, ik laat je niet binnen.'

Ik klopte nog eens. Iedereen met een greintje verstand zou tevreden zijn geweest met Kjerstens zoenen en vertrokken zijn, zichzelf ervan overtuigend dat Gunnar zijn probleem niet was, maar bij mij ontbreekt het instinct voor zelfbehoud. Ik heb een de-regen-is-niet-nat-genoeg-laat-ik-de-drup-proberen-instinct. In een vorig leven moet ik Roadkyll Raccoon zijn geweest.

Ik klopte weer. Gunnar zei niets meer, maar ik hoorde de sleutel ronddraaien. Ik duwde de deur open en zag dat hij op zijn buik op bed lag, een kussen over zijn hoofd om de wereld buiten te sluiten. Een hele prestatie, want nog geen seconde geleden had hij het slot opengemaakt. Hij moest met de snelheid van het licht terug zijn ge-sprongen, alleen maar om zichzelf in deze zielige houding aan mij te kunnen presenteren.

Ik ging op zijn bureaustoel zitten. Lang kon hij zo niet blijven liggen; hij zou uiteindelijk in ademnood komen.

En ja hoor, daar werd de greep om het kussen al losser. Hij keek heel even in mijn richting en draaide zijn gezicht vlug weer de andere kant op.

'Ga weg,' zei hij.

Als hij echt wilde dat ik wegging, wist ik, had hij de deur niet van het slot gedaan.

Ik zei het enige dat ik onder de omstandigheden kon bedenken. 'Vervelend voor je dat je niet doodgaat.'

Hij duwde zich overeind en nam me op. 'Wie zegt dat?' vroeg hij verontwaardigd. 'Een diagnose van Dr. Gigabyte kan ook best klop-pen, hoor.'

'Als dat zo is, dan heeft mijn zusje lepra.'

Hij gaf geen blijk van verrassing of verwarring, en ik vroeg me af of Dr. Gigabyte die lepradiagnose ook een keer bij hem had ge-steld.

'Ben je ook bij een echte dokter geweest? Wat zegt die?'

'Kan me niet schelen wat die zeggen. "De verlichte mens verstaat de taal van zijn eigen lichaam en ziel."'

'Van wie is dat?' vroeg ik.

Ik zag hem nadenken, en hij zei: 'Van de Dalai Lama.'

'Je hebt het zelf verzonnen!'

'Nou en?'

Plotseling kreeg ik een inval. 'Je hebt ze allemáál zelf verzonnen!' Terwijl ik het hardop uitsprak drong het tot me door. Niemand kon zo veel citaten-voor-elke-gelegenheid paraat hebben. 'Al die beroemdheden hebben die dingen nooit gezegd, hè? Die citaten heb je allemaal uit je duim gezogen!'

Hij keek naar het kussen in zijn handen en stompte ertegen alsof hij een bal deeg zat te kneden. 'Daarom hadden ze het nog wel *kunnen* zeggen,' mompelde hij.

Ik lachte. Misschien had ik dat niet mogen doen, maar ik vond het komisch dat hij zo in zijn gefantaseer bleef steken.

Gunnar vatte het niet sportief op. Hij kwam van zijn bed en liep naar de deur. 'Ik wil dat je weggaat.'

Deze keer leek hij het wel te menen. 'Nou, ik weet niet of je er wat aan hebt, maar ik ben blij dat je niet doodgaat.' Ik ging staan en stapte de gang op. 'Hebben je ouders ook maar enig idee dat je de hele school hebt opgelicht?'

'Ik licht helemaal niemand op,' zei hij. 'Het is afgelopen voor me. Of ik wel of niet sterf is nog maar een formaliteit.'

Voordat ik kon vragen wat hij precies bedoelde, had hij de deur tussen ons dichtgedaan.

De volgende dag – de vrijdag voor de kerstvakantie waar ik zo hard aan toe was – werd ik opnieuw naar het kantoor van de directeur geroepen. Er zaten al twee anderen, een man en een vrouw in duur uitziende pakken. Terwijl ik naar binnen stapte, veerden ze allebei overeind. Ik kromp ineen, zoals wanneer in een griezelfilm de kat ineens tevoorschijn springt.

'Ah,' zei Sinclair, 'dit is de jongen over wie ik jullie heb verteld.'

Ik gaf ze een hand. Hun namen was ik op slag weer vergeten doordat mijn brein moest verwerken dat ze het over mij hadden gehad, maar ik was er vrij zeker van dat de vrouw de pas verkozen onderwijsinspecteur was.

'Anthony heeft het voortouw genomen in een schoolbrede sociale beweging om hoop te bieden aan een terminaal zieke leerling.'

'Eh... jah,' zei ik, overal heen kijkend behalve naar hen drieën. 'Toevallig dat u daarover begint...'

'Ik heb er al zóveel over gehoord,' zei de inspecteur. 'Hadden we maar meer scholieren zoals jij.'

Bijna schoot ik in de lach.

'Als je geen bezwaar hebt,' zei de man, 'willen wij graag ook wat tijd doneren.'

Het was natuurlijk aartslaf van me, maar ik kon mezelf er niet toe zetten ze de waarheid over Gunnar en zijn 'ziekte' te vertellen. Ik wilde heus wel, maar de woorden stokten in mijn keel en bleven als streptokokken aan mijn amandelen kleven.

'O, dat is prima hoor, waarom niet.' Ik haalde twee blanco contracten uit mijn rugtas, die ze invulden en ondertekenden, met de directeur als getuige.

Toen dat gebeurd was, ging Sinclair op de hoek van zijn bureau zitten, in zo'n nonchalante ik ben dan wel de-baas-maar-ik-ben-ook-je-beste-vriend-houding. 'Je zult inmiddels wel hebben gehoord dat de leerlingenraad een speciale bijeenkomst voor Gunnar heeft georganiseerd, in de eerste week van januari,' zei hij.

'O ja?'

'Ja – en ik vind dat jij daar een toespraak moet houden, Anthony.'

Bij elke naderende ramp doet zich een moment voor waarop je je realiseert dat je kano lek is, je geen peddel hebt en dat dat gebrul verderop de Niagara-waterval is. Het enige dat je kunt doen is je schrap zetten en om redding bidden. En dan heb ik het over bidden in de zin van duizend weesgegroetjes prevelen en psalm drieën-twintig erachteraan zingen.

'Ik ben niet zo goed in toespraken.'

'Je redt je vast wel,' zei de inspecteur. 'Je zegt gewoon wat je hart je ingeeft.'

En de man zei: 'We zijn er allemaal bij om je te steunen.'

'Komt u ook?' vroeg ik. De stroming werd met de minuut sterker.

'Onze school,' vertelde Sinclair, 'staat op de nominatie voor een National Blue Ribbon. En we worden niet alleen op de slagings- percentages beoordeeld. We moeten ook aantonen dat de leerlingen zich inzetten voor een betere wereld, en wat dat betreft ben jij onze grote ster, Anthony.'

Ondanks wat er tijdens het Helse Afspraakje Voor Vier was gebeurd, was mijn vriendschap met Lexie weer terug bij het oude. 'Ik
geef te veel om je om lang razend op je te blijven,' had ze tegen me
gezegd, maar ik had meteen gehoord dat ze nooit razend was geweest.

Zoals afgesproken ontvoerden we haar opa weer eens, op de eerste zaterdag van de kerstvakantie. De ouwe Crawley had ook deze
keer geen idee wat hem te wachten stond. 'Ik wil niet!' schreeuwde
hij terwijl ik hem in bedwang hield om hem te blinddoeken. 'Ik bel
de politie! Ik rijg je aan de punt van mijn stok!' Het was een vast onderdeel van het ritueel.

Tegen de tijd dat we hem naar de Lincoln met chauffeur hadden
gesleurd, was hij opgehouden met klagen over het feit dat hij werd
gekidnapt. Nu klaagde hij alleen nog maar over de omstandigheden.

'Je bent mijn winterjas vergeten.'

'Het is niet koud vandaag.'

'Ik heb net gegeten. Als ik last krijg van mijn spijsvertering, ben
je nog niet jarig.'

'Wanneer bent u nou eens tevreden?' vroeg ik.

'Die brutale houding van je belooft weinig goeds voor je salaris.'

Ik wist dat hij me juist ook voor die brutale houding betaalde.
Het hoorde allemaal bij de belevenis.

'Dit wordt een heel bijzonder uitje, opa,' verzekerde Lexie hem.

'Dat zeg je altijd,' bromde hij.

Voor onze decemberfestiviteit gingen we naar Prospect Park,
waar op vijftien meter boven de grond een tokkelbaan was aangelegd, dwars door de boomtoppen. Lexie had een groep techniek-
studenten geronseld, die hem in ruil voor studiepunten gebouwd

hadden. De twee platforms waren uitgerust met een katrolsysteem, want we konden niet van een hoogbejaarde verwachten dat hij een ladder beklom. Langs de kabel van de ene boom naar de andere vliegend kon je een topsnelheid van zo'n zestig kilometer per uur bereiken.

Het was een mooie afleiding van het Gunnardebacle. Zo was ik het gaan noemen omdat ik vond dat ik het recht wel had verdiend om net zo pretentieus te doen als hij. Toch bleef het in mijn achterhoofd zeuren.

Onderweg naar Prospect Park vertelde ik Lexie het hele verhaal.

'Ik wist het wel!' zei ze. 'Ik wist dat er iets niet klopte aan dat gezin. Het was ook zo raar dat hoeheetzeookweer die avond wegging zonder ook maar gedag te zeggen.'

'Jij zat op het toilet te simpen,' bracht ik haar in herinnering. 'Ze kon je geen gedag zeggen. En trouwens, ik maak het niet uit met haar, als je dat soms dacht. Er is iets mis met haar broer, niet met haar.'

Ik had genoeg tijd gehad om na te denken over Gunnars gedrag, en ik was me gaan realiseren dat dit niet zomaar een doorsnee oplichtingsgeval was. Hij bedonderde de boel niet op de traditionele manier. Er loopt een dunne scheidslijn tussen hypochondrie en bedrog. Ik vermoedde dat Gunnar die specifieke tokkelbaan over zoefde met snelheden van heel wat meer dan zestig kilometer per uur.

'Als ik het zo hoor,' zei Lexie, 'heeft hij meer moeite met het idee gezond te zijn dan met het idee dood te gaan.'

'Precies! Het lijkt wel alsof hij het liefst echt systemische pulmonale monoxie zou hebben.' Ik stelde haar de vraag die al dagen door mijn schedel rammelde. 'Hoe kan iemand nou terminaal WIL-LEN zijn?'

'Münchhausen,' zei Lexie.

Ik had de neiging 'gesundheit' te zeggen, maar ik bleef serieus. 'Wat is dat?' vroeg ik. 'Klinkt ernstig.'

'Kan het ook zijn. Het is een psychische stoornis waarbij mensen allerlei aandoeningen verzinnen om aandacht te krijgen. Je hebt er zelfs bij die zichzelf bewust ergens mee infecteren, gewoon om naar de dokter te kunnen. Of ze maken hun eigen kinderen opzettelijk ziek.'

'Alleen maar om aandacht te krijgen?'

'Nou ja,' zei Lexie, 'het ligt nogal ingewikkeld.'

'Dus is het zonde van je tijd,' bromde haar geblinddoekte grootvader, 'om te proberen het aan hem uit te leggen.'

Ik dacht even na over Gunnar. Wilde hij aandacht? Hij kreeg toch aandacht zat? Hij was populair, de meiden vielen op hem, iedereen kende hem. Hij kwam wat dat betreft niets te kort. Aan de andere kant stond hij bij zijn ouders niet bepaald in het middelpunt van de belangstelling. Aan weer een andere kant stond ik dat óók niet, en *ik* liep niet iedereen wijs te maken dat ik een enge ziekte had – hoewel sommige mensen er vast van overtuigd waren dat me van alles mankeerde.

Eenmaal aangekomen in het park loodsten we Crawley naar de eerste boom. Toen we zijn blinddoek afdeden, probeerde hij ertussenuit te knijpen, maar ik greep hem vast. Ook dit was een vast onderdeel van het ritueel.

'Dit is veel te gevaarlijk!' schreeuwde hij terwijl we hem het platform met de katrollen op schoven – vermoedelijk meer dan er nodig waren, maar ja, het was door toekomstige ingenieurs in elkaar gezet, die hadden natuurlijk alles uit de kast gehaald. 'Dit zou niet moeten mogen!'

'Dat zou een mooie spreuk zijn voor op uw grafsteen,' zei ik, maar toen hield ik vlug mijn mond, want grafstenen herinnerden me aan Gunnar.

Terwijl Crawley me een blik toewierp waar het gevloek vanaf spatte, werden we naar het hogere platform gehesen, waar een van de studenten klaarstond met gordels en helmen die eruitzagen alsof ze waren ontworpen voor ruimtewandelingen.

'Hoe ver is het naar de overkant?' vroeg ik aan de jongen.

Voordat hij kon antwoorden zei Crawley bitter: 'Die vrijer van

Lexie zou dat meteen weten,' en klakte een paar keer met zijn tong.

'Opa, hou op.'

Zodra hij veilig vastgesnoerd zat, gaf ik hem een duw, en hij verdween razend en tierend langs de kabel de verte in.

'Hoe is het eigenlijk met Raoul?' vroeg ik aan Lexie.

'Raoul en ik vonden het beter er een punt achter te zetten.'

'Wat vervelend.'

'Je vindt het helemaal niet vervelend.'

'Ja, dat vind ik wel,' zei ik tegen haar. 'Want nu wil je dat ik het uitmaak met Kjersten om de status-quo te handhaven.'

'De status-quo,' herhaalde ze. 'Wat een duur woord voor jouw doen.'

'Ik ben katholiek. Ik krijg Latijn.' Toen gaf ik haar een zacht zetje, en ze schoot weg, in de richting van haar opa en de zenuwachtige techneuten die haar op zouden vangen.

'Het is zo'n vierhonderd meter,' zei de jongen naast me, die al die tijd had staan wachten tot hij de kans kreeg mijn vraag te beantwoorden, 'maar geloof me, voor je gevoel is het veel meer.'

Ik was de hekkensluiter. Joelend scheerde ik door de lucht, terwijl het landschap van Prospect Park onder me door raasde. Een topontvoering was dit! De tokkelbaan deed precies wat we hadden gehoopt – al je zintuigen werden op scherp gezet, je voelde het bloed door je aderen stromen. Twintig schitterende seconden lang was er niets meer dan ik, de wind en de vijftien meter tussen mij en de grond in. De student had het bij het verkeerde eind – voor mijn gevoel was het veel te weinig.

Tegen de tijd dat ik de overkant bereikte, was Crawley al haast weer zijn brommerige zelf.

'En, wat vond u ervan?' vroeg ik.

'Ik ben hooguit matig onder de indruk.' Uit zijn mond was dat een vijfsterrenbeoordeling.

'Het was... prikkelend,' zei Lexie.

Ik hoorde aan haar stem dat het haar weinig had gedaan. Als je over een tokkelbaan vliegt, zal zicht wel een redelijk onmisbaar zintuig zijn.

De techneuten lieten ons naar beneden zakken, als middeleeuwse zeelui sjorrend aan de katrollen, en terwijl we afdaalden zei Crawley tegen me: 'Het is overduidelijk, maar jou ontgaat het weer eens.'

'Pardon?'

'Die niet-terminale terminale vriend van je – het ontgaat je volkomen.'

Ik sloeg mijn armen over elkaar. 'Nou, legt u het me dan maar uit, o Grote Geniale Grijsaard.'

Bij wijze van uitzondering negeerde hij mijn sarcasme. 'Hij wil niet zozeer dood, hij heeft er behoefte aan om ziek te zijn. Hoe eerder je erachter komt waarom, hoe eerder je dit mysterie kunt oplossen en je middelmatige bestaantje weer op kunt pakken.'

Ik reageerde niet, want hoe het me ook tegenstond het toe te geven, ik wist dat hij gelijk had.

'Goed,' zei hij, 'breng me terug naar die andere boom, dan doen we het nog een keer.'

Kort na de ontvoering nam Crawley contact op met de Dienst Parken en Plantsoenen en bood aan een tokkelbaan voor toeristen te laten bouwen in Prospect Park. Hij had nauwelijks de zegen van de gemeente gekregen of de attractie stond er al. Nog even en hij gaat er flink op verdienen.

'Het grote verschil tussen jou en mij,' had hij een keer tegen me gezegd, 'is dat ik om me heen kijk en mogelijkheden zie. Jij kijkt alleen maar om je heen om te zien of je ergens kunt pissen.'

Toen ik die middag thuiskwam besloot ik Sherlock Holmes te spelen en uit te puzzelen waarom Gunnar per se ziek wilde zijn. Ik begon aan een diepteonderzoek naar systemische pulmonale monoxie.

Hoewel de patiënt vrijwel altijd binnen een jaar na de diagnose overleed, maakte de wetenschap de laatste tijd grote vorderingen, en bij een aantal experimentele behandelingen bleken proefpersonen langer en gezonder te blijven leven. De meest vooraanstaande instelling die zich ermee bezighield was het Columbia University Medical Center, gewoon hier in Manhattan.

Ik dacht aan Dr. G. Het punt met zijn website was dat je telkens dezelfde symptomen kon invoeren, en toch telkens een andere diagnose kreeg. Ik vroeg me af hoeveel diagnoses Gunnar had gekregen voordat hij zichzelf ervan had overtuigd dat hij aan systemische pulmonale monoxie leed.

En kwam het trouwens niet heel mooi uit dat alle hoop op genezing uitgerekend hier in New York lag?

Voordat ik er veel langer over kon piekeren, werd ik opgebeld door mijn vader. Hij had me nodig in het restaurant. Ik was nog uitgeput van Crawley's ontvoering, en tafels afruimen was wel het laatste waar ik zin in had.

'Kinderarbeid is bij wet verboden,' zei ik tegen hem.

'Je roept toch altijd dat je geen kind meer bent?'

'En mijn huiswerk dan? Is die zaak van jou belangrijker dan mijn opleiding?'

'Het is ónze zaak, niet alleen de mijne – en had jij de komende twee weken niet vrij van school?'

Ik kon geen kant meer op.

Om zeven uur meldde ik me bij *Paris, Capisce?*. Terwijl ik mijn karweitjes deed, kon ik de toestand met Gunnar maar niet van me afzetten. Goed, ik had kerstvakantie, maar er hing me een dreigende Gunnarbijeenkomst boven het hoofd zodra die voorbij was. Hoewel ik prikkelbaar was, slaagde ik erin me nagenoeg de hele avond professioneel te blijven gedragen. Er zou geen vuiltje aan de lucht zijn geweest, als die ene eikel aan tafel negen er niet had gezeten.

Samen met zijn ontevreden kijkende vrouw en twee ruziënde kinderen kwam hij rond halfacht binnen. Hij zat nog niet of hij begon al te klagen. Over vlekken op zijn vork; over de wijn die niet koud genoeg was. Over het voorgerecht waar hij te lang op moest wachten en het hoofdgerecht dat te vroeg werd neergezet. Hij moest en zou de bedrijfsleider spreken, dus mijn vader werd erbij gehaald.

Dus ik stond daar de waterglazen bij te vullen nadat ik door die zeikerd was afgeblaft omdat ik dat niet meteen na zijn eerste slok had gedaan. Bij hem deed ik geen moeite secuur te schenken.

'Hoe durft u dit een restaurant te noemen?' jammerde hij terwijl zijn kinderen onder de tafel naar elkaar zaten te schoppen. 'De bediening is waardeloos, het eten was koud, en er hangt hier een verschrikkelijke stank.'

Nou, ten eerste was de bediening voorbeeldig, want mijn moeder had hem geholpen, en zij is de koningin van de kwaliteitscontrole. Ten tweede wist ik dat het eten warm was, want ik had het zelf gebracht en bijna mijn handen aan het bord verbrand. En ten derde kwam de verschrikkelijke stank van zijn eigen zoontje.

Maar mijn vader putte zich uit in verontschuldigingen, bood gratis toetjes aan en korting op hun volgende bezoek en alles. Ik werd er vreselijk kwaad om. Kijk, hij had vroeger bij een groot bedrijf gewerkt waar het wemelde van dit soort figuren, dus hij had een eikelbestendige persoonlijkheid ontwikkeld. Zover was ik zelf nog niet. Het enige waar ik op dat moment op terug kon vallen, was een literkaraf ijswater.

Vanaf die dag zou ik nooit meer ergens anders als hulpkelner worden aangenomen. Want voor het eerst in mijn inschenkcarrière miste ik het glas. Het ging er zelfs zo ver naast dat het over het hoofd van de klant stroomde.

Pas toen ik de hele inhoud over hem had uitgegoten, viel hij eindelijk stil, en hij staarde me volslagen verbijsterd aan.

En ik zei: 'Sorry, had u toch liever mineraalwater gehad?'

Tot mijn verbazing begonnen de andere gasten te klappen. Iemand maakte zelfs een foto. Ik wilde een buiging maken, maar mijn vader greep me bij mijn arm, en hard ook. Toen ik hem aankeek, zag ik geen dankbaarheid in zijn ogen. 'Naar achteren jij, ik kom zo,' gromde hij. Mijn vader gromde maar heel zelden. Normaal gesproken schreeuwde hij als hij boos op me was, en dat begreep ik wel. Dat grommen kende ik niet van hem. Ik schoot de keuken in en ging op een kruk zitten wachten. Zo klein had ik me in geen jaren gevoeld.

Christina kwam naar me toe. Ik wist niet of ze had gezien wat er was gebeurd, maar in grote lijnen had ze het vast wel geraden. 'Ik heb een zwaan voor je gevouwen.' Ze gaf me een servet.

'Fijn,' zei ik. 'Heb je toevallig ook nog een mantra uit de Himalaya voor deze gelegenheid?'

'Mantra's zijn een gepasseerd station voor me,' antwoordde ze. 'Ik hou me tegenwoordig meer bezig met chakrapunten.' Ze begon mijn rug te masseren, maar toen dat me niet bleek te ontspannen liep ze weer weg om verder te gaan met haar vouwwerk.

Mijn vader liet zich de hele avond niet meer zien. Hij liet me gewoon in mijn sop gaarkoken. Af en toe liep mijn moeder binnen om bestellingen op te halen, en dan wierp ze me een vernietigende blik toe, schudde haar hoofd of zwaaide met haar vinger. Ten slotte gaf ze me een bord eten. Toen begreep ik dat mijn vader echt *heel erg* kwaad was. Als ma zo'n medelijden met me had dat ze me te eten gaf, zat ik dik in de problemen.

Uiteindelijk stuurde ze me maar naar huis, want ze kon er niet tegen dat ik daar zo zielig op dat krukje zat.

Voordat mijn ouders thuis waren, kreeg ik een telefoontje van de ouwe Crawley, die blijkbaar weer spionnen in de zaak had gehad.

'Klopt het dat je een kan water over iemands hoofd hebt leeggegoten?' vroeg hij.

'Ja, meneer,' antwoordde ik. Ik was te moe om smoezen te verzinnen.

'En heb je daar plezier aan beleefd?'

'Ja, meneer, het was een eikel.'

'Was het een aanval met voorbedachten rade?'

'Eh... nee, meneer. Het ging nogal... spontaan.'

Hij bleef een hele poos stil. 'Juist, ja,' zei hij ten slotte. 'Je hoort nog van me.' En hij hing op. Hij nam niet eens de moeite me in te wrijven hoezeer ik hem had teleurgesteld – zo ernstig was het dus.

'Je hoort nog van me' – dat moesten de ergst denkbare woorden zijn aan het eind van een gesprek met Crawley. Nog erger dan 'je hoort wel van mijn advocaat'.

Het incident kon nog wel eens heel wat vervelende gevolgen krijgen – zoals represailles tegen mijn vader. Per slot van rekening was het Crawleys kapitaal dat het restaurant draaiende hield. Hij hoefde maar met zijn vingers te knippen om de boel te laten sluiten, en ik zag hem er nog voor aan dat te doen ook.

Pa gaf me geen straf toen hij thuiskwam. Ook de volgende dag gaf hij me geen straf. Hij ontliep me alleen maar. Ik had niet de indruk dat hij me opzettelijk negeerde – het voelde meer aan alsof hij zo van me walgde dat hij gewoon niks met me te maken wilde hebben. Pas toen ik die maandag de kop op de voorpagina van de krant zag staan, besefte ik waarom.

BOSWELL GEDOOPT DOOR HULPKELNER

Geen kiekje op bladzijde vier van het schoolblaadje deze keer, maar een paginagrote afbeelding pal voor op de *New York Post* – van de eikel aan tafel negen, tot op het bot verzopen, en ik met de lege karaf ernaast. Het was de foto die een van de andere gasten op die rampzalige avond had genomen.

Met je smoel op de *New York Post* staan is nooit iets om blij van te worden. Het betekent dat je ofwel een moordenaar bent, ofwel een moordslachtoffer, ofwel een te kakken gezet publiek figuur. In dit geval was het optie drie. De eikel van tafel negen bleek niemand minder te zijn dan senator Warwick Boswell, en ik was degene die hem te kakken had gezet.

Diezelfde ochtend zat mijn vader de personeelsadvertenties al uit te kammen, alsof hij verwachtte dat het een kwestie van dagen was voordat het restaurant werd dichtgegooid.

Voor het eerst probeerde ik de stilte tussen ons te verbreken. 'Pa, het spijt me...' Hij stak afwerend zijn hand omhoog. 'Laten we er maar geen woorden aan vuilmaken, oké, Antsy?' Hij keek me niet eens aan.

De hele kerstvakantie bleef het zo. En het deed pijn. Ik was eraan gewend dat we thuis bonje schopten, schreeuwden, elkaar op het hart trapten en het dan weer bijlegden. Vlammende ruzies, geen kil doodzwijgen. Het zette me aan het denken over wat ma had gezegd over de hel – dat het daar zo koud en eenzaam was. Ik realiseerde me dat ze gelijk had, want ik had mijn vader liever als een draak vuur zien spuwen dan dat ik deze nucleaire winter moest doorstaan.

Tot nu toe hadden pa en ik altijd overal over kunnen praten. Zelfs als het heel hoog was opgelopen, zelfs als we elkaar wel hadden kunnen wurgen, we waren altijd blijven praten.

Laten we er maar geen woorden aan vuilmaken, oké, Antsy?

Bij zulke kou stierven hele diersoorten uit.

Tijdens de kerstdagen gebeurde er weinig, wat gezien de eerdere gebeurtenissen maar beter was ook. Of het uit wraak was omdat we geen Thanksgivingdiner hadden gegeven wist ik niet, maar het grootste deel van de familie had al andere plannen. We waren door mijn moeders kant uitgenodigd om naar Philadelphia te komen, maar omdat tante Mona op kerstavond zou arriveren moesten we dat afslaan. Waarop tante Mona uiteraard op het allerlaatste moment belde om te zeggen dat het pas na Nieuwjaar zou worden. Typisch.

'Het zou geen bezoekje van Mona zijn,' zei ma, 'als ze alles wat we voor haar hebben geregeld niet in de soep liet lopen.'

'We mogen haar wel dankbaar zijn,' vond pa, die domweg te versleten was om helemaal naar Philadelphia te reizen. Trouwens, hij sprak zich nooit uit tegen zijn zus, onder wat voor omstandigheden dan ook.

Bij mijn moeder was dat nogal een teer punt. 'Let maar op,' zei ze, 'als ze dan eindelijk komt, staat ze onaangekondigd op de stoep en verwacht ze dat we alles voor haar laten vallen.'

Kerstochtend had niet de magie van anders. Eerst dacht ik dat het gewoon kwam doordat ik ouder werd, maar hoe langer ik erbij stilstond, hoe meer het tot me doordrong dat het aan iets anders lag. De boom was mooier versierd dan ooit – maar dat was alleen omdat Christina en ik er zoveel werk in hadden gestoken. Omdat er geen hele horde Bonano's was komen opdraven lagen er veel minder cadeautjes onder – maar ook dat zou niet zo erg zijn geweest. Wat de sfeer zo geladen maakte, was dat pa zich overal voor leek af te sluiten. Hij zat te tobben over het restaurant, over zijn toekomst, en ik vermoed ook over onze toekomst. Hij maakte zich vreselijk zorgen, en daardoor ging ma zich vreselijk zorgen maken om hem. Ik zag aan haar dat ze zelf ook gebukt ging onder de spanning, maar toch bleef ze haar best doen om mijn vader op te beuren. Zelf had ik het liefst tegen hem geroepen dat hij zich er gewoon overheen moest zetten, maar ik hield me in. Ik was immers de oorzaak van alle ellende.

De dag na kerst ging ik naar Kjersten toe om haar een cadeautje te brengen. Was het naïef van me om te denken dat wij een normale relatie konden opbouwen, ondanks alle abnormale toestanden om ons heen? Ik zag ertegen op om straks aan te bellen. Ik was er nog niet aan toe met Gunnar geconfronteerd te worden – waar zouden we over moeten praten als elk woord dat uit mijn mond kwam, een manier zou zijn om te vragen waarom? Waarom hij per se ziek wilde zijn. Waarom hij het zo ver had doorgedreven. Waarom hij mij erin had meegesleurd. De Grote Gunnar Bijeenkomst was vastgesteld voor de eerste schooldag van het nieuwe jaar. De toespraak die ik zou moeten houden hing me loodzwaar boven het hoofd – en ik nam het Gunnar vreselijk kwalijk dat hij me in zo'n lastig parket had gebracht.

Toen ik hun huis naderde zag ik hoe groot de secundaire schade in de buurt inmiddels was geworden. Ik liep langs de dreigende doodsakkers, probeerde de ernst in te schatten. De stofschaal had zich al uitgebreid tot halverwege de straat. Alle coniferen waren geel, en alles wat geel hoorde te zijn had een vreemde beurseplekkentint. In een paar voortuinen stonden mannen naar de troosteloze vlakten te staren, en hun vrouwen keken nauwlettend toe of ze niet zouden instorten.

Het enige toefje groen was, ironisch genoeg, te vinden bij de Ümlauts – een grote kerstkrans aan de deur, die toen ik dichterbij kwam van plastic bleek te zijn.

Gunnar deed open.

'Ik kom voor je zus,' zei ik tegen hem.

Hij keek naar het pakje in mijn hand. 'Die is boven,' zei hij, en begon weg te lopen.

Ik had hem moeten laten gaan, maar of ik het nu leuk vind of niet, mijn mond heeft een heel eigen wil.

'Je bent nog steeds niet cyanotisch,' zei ik tegen hem. 'Maar als je het zo belangrijk vindt, kun je ook blauwe lippenstift kopen en net doen alsof het al wel zover is.'

Hij draaide zich weer naar me toe. Ik wist dat hij zich gekwetst voelde, ook al viel dat niet van zijn gezicht af te lezen. Aan de ene kant was ik daar blij om, aan de andere kant schaamde ik me omdat ik zoiets gemeens had gezegd. Ik merkte dat ik op allebei de kanten boos werd.

Gunnar wierp me een kille blik toe en zei: 'Die opmerking had veel meer effect gehad als je er een had gegeven als kerstcadeautje,' en daarmee verdween hij het huis in.

'Jammer dat ik daar zelf niet aan heb gedacht!' riep ik hem achterna. Eerlijk gezegd had ik er wél aan gedacht, maar ik had niet zo diep willen zinken. Bovendien had ik niet met een lippenstift bij de kassa durven staan. Ook al was ik geen bekenden tegengekomen, er waren altijd nog bewakingscamera's.

Kjersten zat in haar kamer naar *Moëba* te kijken, een idiote cartoon over multi-etnische eencellige organismen in de oersoep van de aarde. Ik vond het eigenaardig voor iemand van haar leeftijd, maar ze was er zo in verdiept dat het een poosje duurde voor ze me opmerkte.

'Antsy!'

'Hoi.' Het kwam eruit als een eenlettergrepige verontschuldiging.

Ze stond op om me een knuffel te geven. 'Het zit je nogal tegen met fotografen de laatste tijd, hè?'

Ik zag de speciale Antsy-editie van de *New York Post* op haar bureau liggen.

'Ja,' gaf ik toe, 'en nu staat er ook nog een animatieversie op YouTube.'

'Het had erger gekund,' zei ze, al begreep ik niet wat er erger kon zijn dan e-vernedering die iedereen kon downloaden.

We wisten ons geen houding meer te geven, en haar blik dwaalde weer naar de tv, waar *Moëba* net een dommig pantoffeldiertje buiten westen sloeg.

'Vroeger was ik wild van dit programma,' zei ze.

'Ik ook,' zei ik. 'Toen ik een jaar of acht was.'

Ze zuchtte. 'In die tijd was het allemaal nog zo simpel.' Ze zette het toestel uit. 'Hé, is dat voor mij?'

'O, eh... ja.' Ik gaf haar het cadeautje. 'Vrolijk kerstfeest.' Weer klonk het alsof ik me ergens voor verontschuldigde. Het was irritant.

'Dat van jou ligt nog onder de boom,' zei ze.

Beneden was me niet eens een boom opgevallen.

Ze maakte haar pakje open en haalde het NeuroToxin-jasje tevoorschijn.

'Het is van de *Bubonic Nights*-tournee,' zei ik. 'Kijk – de handtekening van Jaxon Beale is op de mouw geborduurd.'

'O, ik ben gek op Jaxon Beale!'

Voor het geval je de afgelopen jaren op een onbewoond eiland hebt gezeten: Jaxon Beale, voormalig gitarist van Death Crab, is tegenwoordig de gitarist én leadzanger van NeuroToxin.

Ze bedankte me en trok het jasje aan. Het stond haar goed, maar ja, wat stond haar nou niet goed? Het gaf me een prettig gevoel dat ik haar in elk geval voor een paar minuten uit een wereld van in beslag genomen auto's, woeste buren en een ter dood veroordeelde broer kon bevrijden.

'Heb je zin om iets te gaan doen vandaag?' vroeg ze.

Eerlijk gezegd had ik niet verder gedacht dan dat ik haar het cadeautje wilde brengen. 'Ja hoor,' zei ik. 'Naar de bioscoop of zo?'

'Een lachfilm,' zei ze. 'Laten we een lachfilm nemen.'

'Kies jij maar. Er is net van alles in première gegaan in de Mondoplex.' Toen voegde ik eraan toe: 'Wat mij betreft kunnen we zelfs met jouw auto. Ik ben over dat hele machocomplex heen. Ik durf best rechts van mijn vriendin te zitten.'

Dit was, realiseerde ik me, de eerste keer dat ik haar in haar bijzijn 'mijn vriendin' had genoemd. Ik hield in de gaten of ze positief, negatief of neutraal reageerde. Het was negatief, maar niet door het woord 'vriendin'. Het woord 'auto' zat haar dwars.

'Dat kan niet. Mijn vader heeft hem vanochtend geleend.'

Ik vroeg me af of hij ermee naar het casino was, maar besloot er niet naar te vragen. 'Dan kan je moeder ons misschien brengen.'

'Die is voor de feestdagen naar familie in Zweden, en ze heeft haar auto op de luchthaven laten staan.'

Waarom, dacht ik, betaalde ze liever parkeergeld dan haar auto door haar man te laten gebruiken? Weer besloot ik dat het beter was er niet naar te vragen. Dit hele gezin was een beerput die op ontploffen stond, en ik zou het deksel er niet af halen.

'Goh, Zweden,' zei ik, 'dat lijkt me wel wat – waarom ben je niet meegegaan?'

'Laat ik het erop houden dat in Zweden ook winter is.'

'Dan ligt er vast sneeuw.'

'Het sneeuwt, het vriest, en het is er achttien uur per dag pikke-donker. Ik vind het afschuwelijk.'

'Het zal hoe dan ook mooier zijn dan Kerstmis in Brooklyn.'

Ze haalde somber haar schouders op, dus ik probeerde wat an-ders. 'Nou ja, ik ben in elk geval blij dat je niet mee bent gegaan, want nu kunnen we elkaar de hele vakantie zien.'

Daar glimlachte ze om, en niet zomaar uit beleefdheid, maar ze meende het. Stilletjes juichte ik bij het besef dat ze echt bij me wilde zijn.

We pakten ons dik in tegen de harde wind, trotseerden de lokale stofschaal en namen de bus naar het Mondoplex.

Er zijn meerdere redenen waarom ik geen al te gedetailleerde be-schrijving wil geven van onze donkere-bioscoopzaal-ervaring. Ten eerste gaat het je niks aan, en ten tweede is alles wat je dénkt dat er is gebeurd waarschijnlijk beter dan wat er in werkelijkheid is ge-beurd.

Maar voor degenen onder jullie die nog nooit het fenomeen van een afspraakje in de bioscoop hebben meegemaakt, volgen hier wat algemene aanwijzingen.

1. Als je je arm om haar schouder legt, begint die na een kwar-

tier te slapen, zeker als ze langer is dan jij. Je kunt beter gewoon haar hand vasthouden.

2. Als je haar hand vast hebt, lukt het je niet zowel een bak popcorn als een drankje in evenwicht te houden. Een van de twee kukelt onvermijdelijk om. Duim maar dat het de popcorn is.

3. Als het zover mocht komen dat ze zich laat zoenen, word je voor de rest van het publiek plotseling veel interessanter dan het scherm, ook voor die ene galbak met zijn laserpointer, die je al ruim voor de aftiteling zult willen villen.

Wat de film zelf betreft was ik verbaasd over Kjerstens keuze. Ik had op een liefdesdrama gegokt, een Europese productie of zoiets. In plaats daarvan wilde ze naar een pulpkomedie voor tieners, waar ik misschien met Howie en Ira naartoe zou zijn gegaan, maar waarvan ik nooit had kunnen vermoeden dat ik er met haar naar zou kijken. Je kon het niet eens betere pulp noemen. Ik bedoel, ik heb de nodige stompzinnige films gezien, maar deze was zó slecht, en de humor was zo humorloos dat het gênant werd. Zelfs Wendell Tiggors 'intelligentie' zou erdoor beledigd zijn, en bij elke platte scène verwachtte ik dat Kjersten me een dreun zou geven puur en alleen omdat ik een jongen was.

Zesentachtig kwellende minuten later was het voorbij en liepen we hand in hand de straat op – de eerste keer dat we in het openbaar elkaars hand vasthielden. Ze torende niet echt boven me uit, maar het lengteverschil was groot genoeg om me onzeker te maken. Telkens wanneer ik iemand hoorde lachen, keek ik onwillekeurig om me heen met het idee dat het om ons was.

Kjersten leek zich nergens zorgen over te maken. 'Vond je hem leuk?' vroeg ze.

'Ja hoor, het ging wel.'

'Ik vond hem echt grappig.'

'Jah.' Ik probeerde er iets positiefs over te zeggen. 'Toen die dikke klem kwam te zitten in dat zwembad vol drilpudding, dat was mooi.'

'Je vond er niks aan,' zei ze, dwars door me heen kijkend.

'Nou ja, ik had alleen gedacht dat... ik weet niet... jij zit in de debatclub en alles. Ik ging ervan uit dat je naar een film wilde die, eh... mijn horizon zou verbreden.'

'Wat mij betreft is er niks mis met jouw horizon.'

Ik had er blij om moeten zijn dat mijn vriendin me zo onvoorwaardelijk accepteerde... maar net als Gunnars 'acceptatie' klopte het van geen kanten. Niet dat ik wilde dat ze eerst door ontkenning, angst en woede heen moest terwijl ze met mij omging – hoewel een beetje onderhandelen wel spannend zou kunnen zijn – maar het probleem was dat ze die film had uitgekozen met het idee dat ik hem goed zou vinden. Had ze zo'n lage dunk van me?

Ja, ja, ik weet het, als man hoor je niet over dat soort dingen te tobben. Ik had er gewoon van moeten genieten dat ik zo succesvol boven mijn niveau speelde, mezelf op de borst moeten roffelen. In het begin had ik daar ook wel genoeg aan gehad, maar nu niet meer. Het was Lexies schuld. Zij was degene die als eerste mijn horizon had verbreed.

Toen we haar straat in kwamen stond Kjerstens auto op de oprit, wat betekende dat haar vader terug was. Ik zou wel mee naar binnen zijn gegaan, maar Kjersten wilde geen ophef veroorzaken. Bij de voordeur gaf ze me een snel kusje, en ze schoot even het huis in om terug te komen met een langwerpige, smalle doos, prachtig verpakt en met een gouden lint eromheen. 'Maak het straks maar thuis maar open,' zei ze. 'Ik hoop dat het je smaak is.'

Van binnen hoorde ik Gunnar roepen: 'Het is een skateboard.'

Terwijl ze me met een gefrustreerd kreuntje het cadeau aangaf, stootte ze per ongeluk de kerstkrans van de deur. Ze probeerde hem meteen weer terug te hangen, maar ze was niet snel genoeg. Ik ving een glimp op van het plakkaat dat eronder zat.

Ze begreep dat ik het had gezien – maar wat kon ze doen? Ze verzekerde zich ervan dat de krans weer stevig aan de spijker hing en deed alsof er niets was gebeurd. ' Tot morgen?'

'Ja... ja, prima, tot morgen.'

Voordat ze de deur dichtdeed, zag ik nog net dat Gunnar me

vanuit de gang stond op te nemen. Het fatalistische onheil in zijn ogen was even angstaanjagend als de stervende vegetatie in de buurt.

Het was een mooi skateboard. Hoge kwaliteit Spitfire-wielen, een cool motief. Ik zat op de rand van mijn bed en liet mijn vingers over het antislipoppervlak en de gladgepolijste onderkant glijden. Ik draaide aan de wielen en luisterde naar het bevredigende ratelen van de lagers. Een beter skateboard kon je je niet wensen, maar er was één minpuntje. Ik wilde helemaal geen skateboard.

Kijk, voor alles is een tijd – en de klok loopt bij iedereen anders. Er zijn jongens die skateboarden tot op de dag dat ze hun rijbewijs halen – per slot van rekening is het best een handig transportmiddel. Dan heb je types zoals Skaterdud, voor skateboarden een soort religie is, en die zullen het tot hun dood blijven doen. Ik weet zeker dat de Dud niet zomaar van dat vliegdekschip zal vallen; hij zal ervanaf rollen. Maar mijn skateboardfase was geëindigd in de zomer voordat ik naar groep negen ging. Ik was het min of meer ontgroeid – en iedereen weet dat zodra je iets bent ontgroeid, je het daarna jarenlang met geen stok wilt aanraken, tot het uiteindelijk een historisch gegeven uit je bestaan wordt en je er met warmte op kunt terugkijken.

Langzaam werd het verband me duidelijk. Zeker nu ik dat vreselijke plakkaat op hun voordeur had gezien.

EXECUTIEVERKOOP
Bewoners worden hierbij gesommeerd het
perceel binnen dertig dagen te verlaten

Het was erger dan de ergste doodsakkers die Gunnar en ik hadden gecreëerd. Hoe red je je als je hele wereld om je heen begint in te storten, en je ouders alleen maar op de vlucht lijken te slaan? Is het dan misschien gemakkelijker om jezelf wijs te maken dat het afgelopen is met je in plaats van de ellende onder ogen te zien, en om je eigen grafsteen te gaan beitelen zoals Gunnar deed? Of je voor de realiteit af te sluiten zoals Kjersten deed? Ze vond het niet belangrijk mij tot haar niveau te verheffen, maar daalde veel liever af naar het mijne – of althans naar wat ze dácht dat mijn niveau was. Stompzinnige films, felgekleurde skateboards en onbeholpen flirtpogingen van een veertienjarige. Omdat 'het in die tijd allemaal nog zo simpel was'.

Lexie had gelijk gehad. Kjersten viel op het beeld dat ze van mij had.

Kon ik Kjersten geven wat ze nodig had? Wílde ik dat wel? Terwijl ik over de rand van het skateboard streek, besefte ik dat de Ümlaut-beerput een enorme industriële stortplaats was, en ik zat al volop de giftige walmen daarvan in te ademen.

Wat de Ümlauts het hardst nodig hadden was tijd – en niet het soort dat ik via mijn computer kon afdrukken, maar échte tijd. En wat Kjersten betrof: als ik werkelijk om haar gaf – en dat deed ik – kon ik alleen maar zoveel mogelijk proberen te voldoen aan dat beeld dat ze van mij had. Tijd kon ik haar niet geven, maar misschien wel een reis terug in de tijd.

Dus stapte ik op het skateboard en reed erop rond en rond en rond; ik deed de rest van de kerstvakantie mijn best om mijn prille puberteit terug te halen.

'Hé, hé, Kjersten – ik kan *The Star-Spangled Banner* doen met ok-selscheten; wil je het eens horen?'

'O, Antsy, wat ben je toch grappig!'

Er valt wel iets te zeggen voor onvolwassenheid – je gedragen naar je schoolcijfers in plaats van naar je leeftijd, hoewel dat in mijn geval wel heel erg jong zou worden. Toen ik er eenmaal aan had toegegeven, werd het best leuk. Kinderachtige geintjes, poep- en pieshumor, opgewonden raken van dingen die me al jaren niet meer interesseerden... Het was heel verrassend, omgaan met een rijpere vrouw.

'Kjersten, het is gewoon zeg maar het aller-, allercoolste videospel ter wereld. Je zit in een vet coole Winnebago, en de geest van de mensen die je platrijdt blijven hangen in je camper. Kicken, hè?'

'Speel jij maar, Antsy. Ik kijk wel.'

Via mij kon Kjersten ontsnappen. Ze vrolijkte ervan op, en daarvan vrolijkte ik weer op. Het lukte me zelfs mezelf aan te leren rood aan te lopen en heel verlegen te doen, terwijl ik dat eigenlijk niet was.

'Kijk die korstjes hier, zoals zeg maar hier op mijn ellebogen en alles? Van het skateboarden. Ik heb kickflips lopen oefenen en alles, je weet wel.'

'Dus dat skateboard dat ik voor je heb gekocht is wel goed?'

'Het is megagaaf!'

Het probleem met het belemmeren van je eigen groei is dat je er niks blijvends aan overhoudt. Alsof je niets anders dan suikerspinnen eet, hoewel het minder slecht is voor je tanden. En het is slopend. Na een dag met Kjersten wilde ik alleen nog maar naar huis om de krant lezen – of desnoods tafels af te ruimen in het restaurant – om weer enigszins het niveau van mijn eigen leeftijd te kunnen bereiken. Helaas was ik nog steeds verbannen uit de zaak, en ik wist niet of ik ooit nog wel naar binnen zou mogen.

'Wat heb jij?' vroeg mijn moeder. Ik had net een energieslurpende dag met Kjersten achter de rug – in de automatenhal – en lag nu uitgevloerd op de bank naar de beursberichten te staren die op de financiële nieuwszender voorbij rolden.

'Niks,' bromde ik.

En dus voelde Christina zich geroepen uitleg te geven.

'Zijn vriendin gebruikt hem om haar verloren jeugd terug te krijgen.'

'Hoezo "verloren jeugd"?' riep ma. 'Die meid is pas zestien!'

'Tja, wat zal ik zeggen,' zei Christina. 'Ze beginnen tegenwoordig overal steeds vroeger aan.'

'Geen zorgen,' zei ik. 'Ik weet wat ik doe.'

Mijn moeder schudde haar hoofd. 'Verloren jeugd! Wat wil ze dan van je? Dat je luiers omdoet?'

'Ja, en ze klopt op mijn rug totdat ik boertjes laat.'

Ma wierp haar handen in de lucht en liep de kamer uit. 'Dat heb ik niet gehoord.'

Toen ik na de vakantie weer naar school ging, werd ik door vrienden en door leerlingen die ik niet eens kende enthousiast gefeliciteerd en op de schouder geklopt. Eerst dacht ik dat het bijval was omdat ik in het openbaar met Kjersten naar de bioscoop was geweest, maar het bleek allemaal om de *New York Post* te draaien. Senator Boswell natgooien en ermee op de voorpagina belanden werd als een heldendaad gezien. Het was alleen niet het soort roem waarop ik zat te wachten.

'Ik kan straks zeggen dat ik je al eeuwen ken,' zei Howie tegen me, alsof ik hierdoor de sterrenstatus had verkregen. 'Heb je al uitnodigingen voor talkshows gehad?'

Heel even zag ik mezelf met een karaf ijswater naast Raoul de Klakker in een programma staan, maar ik schudde het beeld van me af voor het schade kon aanrichten.

Anderen hadden geen idee wat een weerslag dat incident op ons had gehad. Hoe het de zaak en mijn vader onder druk zette. Had ik het maar ongedaan kunnen maken – waarom begreep niemand dat toch?

Ook de bijeenkomst voor Gunnar had ik het liefst weggetoverd. Een nepactie om neptijd in te zamelen, terwijl de echte tijd doortikte. Drieëntwintig dagen nog, dan moesten de Ümlauts hun huis uit. Probeerden ze er eigenlijk wel iets tegen te ondernemen?

Die dinsdagavond begon het voor het eerst te sneeuwen, en ik hoopte dat we ijsvrij zouden krijgen en dat de bijeenkomst van morgen zou worden uitgesteld of zelfs afgelast. Maar wie probeerde ik nou voor de gek te houden? In New York kreeg je pas ijsvrij als de mammoeten door de straten liepen.

Ik stond woensdagochtend bij mijn kluisje toen Gunnar op me af kwam. Gezien de dreigende executieverkoop besloot ik mijn frustratie niet op hem af te reageren – ook al was hij er de oorzaak van.

'Wat ga je zeggen vanavond?' vroeg hij.

'Ik weet het niet,' antwoordde ik. 'Wat vind jij dat ik moet zeggen?'

'Je gaat het toch niet verpesten, hè?'

Dacht hij nou echt dat ik iedereen alsnog de waarheid zou vertellen? Hoe zou ik dat kunnen doen? Ik was zijn handlanger – een medeplichtige. De enige manier om dit op te lossen was ermee door te gaan. Wie weet was het, hoe verkeerd ook, nog ergens goed voor. Had een of andere beroemde dode kunstenaar niet gezegd dat iedereen zijn vijftien minuten in de schijnwerpers krijgt? Wie was ik om die van Gunnar in de weg te staan?

'Misschien kan ik er beter een inzameling voor jullie hypotheek van maken,' merkte ik op. Ik kon niet zien of hij dacht dat ik het meende of het sarcastisch bedoelde. Het deed er niet toe, want dat wist ik zelf ook niet.

'Daar is het te laat voor,' zei hij. 'En mijn vader kennende zou hij het geld toch niet naar de bank brengen.'

'Weten je ouders eigenlijk van die bijeenkomst? Hebben ze enig idee hoe ver je dat Dr. G-gedoe hebt doorgedreven?'

Gunnar haalde zijn schouders op. Ze waren duidelijk nergens van op de hoogte. 'Mijn moeder is ingesneeuwd in Stockholm. Ze komt vanavond laat pas thuis. En mijn vader... nou ja, die heeft meer belangstelling voor zijn kaarten dan voor zijn kinderen.'

Ik begon steeds beter te begrijpen waarom Gunnar schijnziek was. Ze stonden op het punt hun hele hebben en houden kwijt te raken. Mr. Ümlaut vergokte alles wat nog over was en liet zijn vrouw en kinderen min of meer aan hun lot over. Het was misschien eenvoudiger voor Gunnar om zichzelf wijs te maken dat hij dood-ging dan om het allemaal onder ogen te zien. Ik moest aan mijn eigen vader denken, aan de spanningen tussen ons. Maar hij kon nog zo kwaad op me zijn, diep vanbinnen wist ik dat de bui uitein-delijk zou overwaaien. Het zou wel weer goed komen tussen ons. Het was nog maar de vraag of het met Gunnar en zijn vader ooit nog goed zou komen. Zij waren net de Roadkyll Raccoon-bunge-laars. De kans op redding was wel heel klein.

'Ik weet zeker dat je vader om je geeft,' zei ik tegen hem. 'Hij zit gewoon met zichzelf in de knoop.'

'Dan haalt hij zichzelf maar weer uit de knoop. Hij moet zijn puinhoop opruimen.'

Ik wist niet hoe ik daarop moest reageren, dus gaf ik maar ant-woord op zijn oorspronkelijke vraag.

'Ik wil een toespraak houden over systemische pulmonale mo-noxie, en de mensen bedanken voor de gedoneerde tijd. Ik zal alleen maar aardige dingen over je zeggen. En dan roep ik je erbij.'

'Mij?'

'Het gaat om jouw leven. Die thermometer staat er voor jou. Je moet iedereen persoonlijk bedanken – ze een prettig gevoel geven over wat ze hebben gedaan.'

Gunnar kon me niet aankijken. Hij tuurde naar zijn schoenen, tikte met zijn voet tegen de onderkant van mijn kluisje. Toen zei hij: 'Dr. G zit er niet altijd naast, hoor.'

'Nou... ik hoop dat hij er deze keer wel naast zit, want hoe geschift deze hele toestand ook is, ik wil niet dat je doodgaat.'

De bel ging, maar Gunnar bleef staan. Hij bleef nog zeker tien seconden hangen voordat hij 'bedankt, Antsy' zei en zich naar zijn lokaal haastte.

De bijeenkomst zou om zes uur beginnen, omdat hij niet mocht samenvallen met de lessen of met sportactiviteiten. Omdat de onderwijsinspecteur, die bezig was aan een veelbelovende politieke carrière, er haar goedkeuring aan had gegeven, werd het allemaal heel serieus genomen. Ik duimde dat er niet veel leerlingen heen zouden komen omdat het 's avonds was, maar de directeur had iedereen die erbij zou zijn extra studiepunten beloofd voor een vak naar keuze. Zo'n kans liet natuurlijk niemand aan zijn neus voorbijgaan.

Terwijl ik aan het eind van de dag op weg was naar huis, berekende ik dat ik precies genoeg tijd zou hebben om te douchen, me om te kleden en te bidden om een asteroïde die de gehele mensheid uit zou roeien voordat ik mijn toespraak moest houden. Ik stapte net de badkamer uit toen mijn moeder me aanklampte in de gang.

'Kleed je aan, we moeten tante Mona van het vliegveld halen.'

Met alleen een handdoek om mijn middel zag ik hoe het verdwijngat zich voor mijn voeten opende.

'Niet moeilijk doen,' zei ze. 'Haar vlucht landt al over een halfuur.'

Ik merkte dat ze al aan het eind van haar krachten was, en het bezoek was nog niet eens begonnen.

'Toe, Anthony, het is al erg genoeg, ga jij nou niet ook nog eens dwarsliggen.'

'Maar... maar ik heb al wat anders te doen!'

'Dat kan wel wachten.'

Ik lachte nerveus, stelde me een aula vol mensen voor die maar wachtten en wachtten en wachtten. Niet op komen dagen, daar zou ik een nog slechtere beurt mee maken dan met mijn toespraak.

'Je snapt het niet... ik moet vanavond een toespraak houden voor die vriend van me.' En de volgende woorden moest ik er met geweld uit persen. 'Die ene die doodgaat.'

Daar werd ze even stil van. 'Een toespraak? Jij?'

'Ja. De onderwijsinspecteur is er zelfs bij.'

'Waarom hoor ik dit nu pas?'

'Nou ja, als jullie niet dag en nacht in de zaak waren, hadden jullie het wel geweten.' Dat meende ik niet, maar dit was zo belangrijk dat ik alle wapens mocht inzetten, en ik besloot haar schuldgevoel te bespelen.

'Hoe laat begint het?' vroeg ze.

'Om zes uur.'

'Nou, als jij een toespraak houdt, dan mogen we dat niet missen. We pikken je tante op en zorgen dat we om zes uur terug zijn.'

'Dat halen we nooit! Naar LaGuardia in het spitsuur? Met dit weer? We mogen blij zijn als we voor de zomer terug zijn!'

Maar mijn moeder wilde van geen wijken weten. 'Maak je maar niet druk – je vader kent een sluiproute. Schiet op, ga dat overhemd van haar aantrekken.'

Ik werd met stomheid geslagen. Het was al verschrikkelijk dat ik dat ding überhaupt eens aan zou moeten, maar voor het voltallige leerlingenbestand op het podium staan in een shirt dat eruitzag als een kruising tussen een Barbie-autootje en een verkeerskegel? Mijn mond hing open, en er kwam een soort morsecode uit.

'Doe het nou maar,' zei ma, en ze liep naar beneden om de woonkamer nog een laatste keer te stoffen.

De hele weg naar LaGuardia zat ik te broeien.

'Hou op met dat geknies,' zei ma, alsof het maar een kinderachtige uiting van teleurstelling was.

Nou, je hebt erom gevraagd, dacht ik bij mezelf. Je hebt om een asteroïde gebeden en daar is hij dan. Planetoïde Mona, impact om 16.26.

Hoe het me ook tegenstond dat ik die toespraak moest houden, ik wilde Gunnar niet laten zitten. Als we niet op tijd terug waren, zou alles verloren kunnen zijn. Mijn goede reputatie bij de directeur, mijn zelfrespect – zelfs mijn relatie met Kjersten, die de actie afkeurde maar het nog veel meer zou afkeuren als ik hem in de steek liet. En waren de consequenties dan voor tante Mona? Of voor mijn ouders? Welnee, het zou allemaal op mijn bordje komen.

Ik vervloekte mezelf omdat ik het lef niet had gehad nee te zeggen en daarbij te blijven, om het gewoon te vertikken om mee te gaan.

'Waarom moeten we met zijn allen naar het vliegveld?' was het enige dat ik had gevraagd voor we de deur uit gingen. 'Als jullie allemaal al gaan, waarom moet ik dan ook nog mee?'

'Omdat ik het wil,' was mijn vaders antwoord.

En hoe onredelijk het ook was, ik wist dat ik er niet onderuit kon. Gunnars vader mocht zijn recht gehoorzaamd te worden dan hebben verspeeld, ik moest die van mij nog steeds respecteren. Ook al werkte ik mezelf daarmee gigantisch in de nesten.

Tante Mona stond al te wachten tegen de tijd dat we de aankomsthal inliepen, en nog voordat we elkaar hadden begroet zette ze de aanval in.

'Grmm! Waar bleven jullie toch? Ik sta hier al tien minuten!'

'We konden de wagen nergens kwijt,' zei pa terwijl hij haar een kus op haar wang gaf. 'Is je bagage er al?'

'Je weet hoe het gaat op LaGuardia. Grmm! Ik mag nog van geluk spreken als die überhaupt komt!' Ze nam mij op en knikte tevreden. 'Ik zie dat je dat overhemd van me aan hebt. Het komt uit Europa, hoor. Ik heb het speciaal voor jou uitgezocht – die heldere kleuren zouden je spieren moeten benadrukken.'

Vanuit mijn ooghoeken zag ik Christina grijnzen, en ik snoof overdreven om haar eraan te herinneren dat zij naar Mona's parfum stonk. Ik gluurde op mijn horloge – mijn moeder zag het en probeerde de vaart erin te krijgen. Gelukkig kwamen de koffers net aanglijden. We haastten ons naar de auto – we hadden minder dan een uur voordat de bijeenkomst begon.

Vliegen was niet bevorderlijk voor mijn tantes humeur. De terugreis was een waar mekkerfestijn – maar in plaats van alles wat ze onderweg zei op te sommen, leg ik je een exclusieve selectie voor.

Moná

Onbeperkt slikken voor een vast bedrag

AMUSES

*'Ik zie dat jullie nog steeds die oude auto hebben.
Wordt dit model eigenlijk nog wel gemaakt?'
'Waar ga je nou heen? Dat richtinggevoel van jou is nog
steeds even slecht, Joe. Als kind verdwaalde hij al op zijn
fiets, en dan mocht ik hem gaan zoeken.'
'Je moet wat meer lachen, Angela. Misschien worden je kinderen dan ook wat vrolijker.'*

WIJNEN (ZUUR)

*'Grmm! Ik zit te bevriezen – de verwarming doet het niet!'
'Giftige schimmel in de kelder? Grmm! Je had meteen dat
hele huis moeten laten slopen!'
'Kunnen we niet ergens stoppen om iets te drinken te
halen? Ik word misselijk van de uitlaatgassen. Grmm!'**

VITSOEP EN PRUTTELPOTJES

*'Opstoppingen? Je weet pas wat opstoppingen zijn als je
in Chicago hebt gewoond. Die opstoppingen van jullie
stellen niks voor vergeleken bij die van mij.'*

---

*) Toen ik een karaf ijswater suggereerde, boog ma zich over Christina heen en gaf me een mep.

'Stress? Je weet pas wat stress is als je een parfum-
bedrijf hebt geleid. Die stress van jullie stelt niks
voor bij wat ik doormaak.'
'Slecht weer? Jullie hebben het hier maar makkelijk! Kom
maar eens naar Chicago als je wilt weten wat slecht weer is.'

HOOFDGERECHTEN

(gloeiend heet opgediend en bestrooid met een korreltje zout)
'Je wilt me meenemen naar Paris, Capisce? voor het eten?
Ik dacht dat we naar een echt restaurant gingen.'
'Zit het op Avenue T? Kon je geen betere locatie vinden?
Nou ja, zo'n zaakje zal ook wel meer aanslaan in een buurt
waar ze niet zoveel gewend zijn.'
'Wanneer ik straks eenmaal in New York woon, zal ik jullie
leren hoe je een bedrijf op poten moet zetten.'*

LICHTERE SCHOTELS
voor de caloriebewuste gast

'Angela, schat – ik bestel wel Nutri-plan-afslankmaaltijden
voor je. Je hoeft me niet te bedanken, je krijgt ze van mij.'
'Christina, je bent best aantrekkelijk voor een meisje met
jouw bouw.'
'Liposuctie, Joe, meer zeg ik niet.'

DESSERTS

'Waarom stop je nou bij een school?'
'Hoe lang gaat dat duren?'
'Ik heb de hele dag nog niets gegeten!'
'Kan ik niet gewoon in de auto blijven wachten?'
'Bij nader inzien toch maar niet. In deze buurt word ik vast beroofd.'

---

*) Op dit punt stak pa zijn arm uit naar het dashboard, en een krankzinnig
moment lang dacht ik dat hij op een schietstoelknop zou drukken om tante
Mona dwars door het dak te lanceren – maar hij zette alleen de radio aan.

We kwamen vijf minuten te laat binnen, en de aula bleek afgeladen te zijn; er waren alleen nog staanplaatsen. Mijn ouders sloegen steil achterover. Ze wisten dat ik met 'iets' voor Gunnar bezig was geweest, maar ik denk niet dat ze ook maar het flauwste idee hadden wat precies, of waartoe het was uitgegroeid. Mijn tijdcontracten hadden ze nooit gezien.

'Wat een opkomst,' zei pa.

'En dat op een doordeweekse avond,' zei ma.

'Een broeinest voor bacillen,' zei Mona, haar blik gericht op een leerling met een droog hoestje.

'Wat is dat daar op het podium?' vroeg mijn moeder. Ze wees naar de grote kartonnen thermometer.

'Daarop wordt de tijd bijgehouden die ik voor Gunnar heb ingezameld.'

'O,' zei ze zonder te begrijpen waar ik het over had.

Eigenlijk vond ik het best fijn om te zien dat mijn ouders zo onder de indruk waren van iets wat ik had gedaan – ook al was het een grote schijnvertoning.

Mijn toespraak zat in mijn zak, en hoe ik er ook tegen opzag straks voor al die mensen te moeten staan, ik was opgelucht dat we het hadden gehaald. Het zou wel meevallen, hield ik mezelf voor. Het zou maar kort duren, en dan konden we gaan eten en kiezen uit een nieuw menu van zweetklierstimulerende kritiek van mijn 'warme' tante.

Het liep anders. Heel anders. Die bijeenkomst staat voor eeuwig in mijn ziel gebrand, want het zou zonder overdrijven de ergste avond van mijn leven worden.

De koude regen was veranderd in ijzel, die met het knetterende gesis van een vals afgestemde radio tegen de hoge ramen van de aula sloeg. Er waren geen zitplaatsen meer voor ons – er stonden zelfs al een stuk of tien mensen achterin, en ze bleven nog steeds binnendruppelen.

'Indrukwekkend, hoor,' zei mijn moeder.

'Grmm,' zei Mona. 'Zijn we soms in Ecuador? Moeten ze het zo warm stoken?'

Wat dat betrof had ze gelijk. Hoewel het buiten streng vroor, was het in de zaal stikbenauwd. Mijn vader had zijn jas uitgedaan, maar hij kon hem nergens kwijt. Uiteindelijk moest hij behalve die van zichzelf ook die van Mona vasthouden, waarin zoveel kleine diertjes waren verwerkt dat hij wel een bonthandelaar leek. Mijn moeder haalde een papieren zakdoekje tevoorschijn en depte zijn voorhoofd, want hij had zelf zijn handen vol.

'Antsy! Waar zat je nou?' Het was Neena Wexler, voorzitter van de leerlingenraad.

'Op het vliegveld.'

Neena gaf een knikje naar mijn ouders en mijn tante. Als antwoord wapperde Mona zichzelf koelte toe, om haar klacht te benadrukken.

'Het spijt me dat het zo warm is hier,' zei Neena, 'maar daar hebben we bewust voor gekozen in verband met het thermometerthema.'

'Denk eraan dat je goed articuleert,' raadde tante Mona me aan. 'Dan valt dat spraakgebrek van je minder op.' Ze doelde op mijn zogenaamde onvermogen haar naam als 'Moná' uit te spreken.

Ik nam mijn vader op om in te schatten of hij dit allemaal wel goed vond. Nu de aanvankelijke verbazing van zijn gezicht was verdwenen, zag hij er alleen nog maar moe en bezorgd uit.

'Let maar niet op hem,' zei mijn moeder. 'Hij zit gewoon in de rats omdat hij de zaak voor vanavond aan Barry heeft moeten overdragen.' Barry was zijn assistent-bedrijfsleider, die al van de kook raakte als er te veel salades werden besteld.

De tijd drong. Ik werd door Neena bij mijn pols gegrepen en naar voren getrokken.

'We zijn trots op je!' riep ma me achterna.

De thermometercampagne was door Neena opgezet, met de meedogenloze beslistheid van een generaal in oorlogstijd. In haar streven de hele tijdschraapindustrie op te eisen voor de leerlingenraad had ze nog net geen geweld tegen me gebruikt. Ik wou dat ik alles gewoon aan haar had kunnen overlaten om ertussenuit te knijpen, maar ik was net zozeer een boegbeeld van dit Evenement als Gunnar – en nee, dat is geen tikfout, dit was een Evenement met een hoofdletter E.

Op het podium hingen overal ballonnen. Als je ze aan elkaar zou binden, zou je er nog iemand mee naar de top van het Empire State Building kunnen laten vliegen. Gunnar zat er al, en hij leek hier veel te veel van te genieten. Ook Sinclair had zijn plaats inmiddels ingenomen, en de derde stoel was voor mij gereserveerd. Een deel van de voorste rij in de zaal was met lint afgezet, bedoeld voor de familie Ümlaut, maar alleen Kjersten was aanwezig. Ze glimlachte naar me en ik zwaaide even naar haar. Ik kon aan haar zien dat ook zij dit zo snel mogelijk achter de rug wilde hebben – het was prettig om te weten dat ik niet de enige was.

Ik werd langs de onderwijsinspecteur en haar entourage geloodst. Ze schudde me de hand, maar voordat ik iets kon zeggen trok Neena me het trapje op en duwde me op mijn stoel, onder de felle lampen die voor nog meer warmte zorgden.

'Apart shirt,' merkte Gunnar op.

'"Geslaagde kleurencombinaties vergen innerlijke balans",' zei ik tegen hem. 'Van Tommy Hilfiger.' Wat Gunnar kon, kon ik ook.

'Hé, Antsy!' riep iemand in het publiek. 'Ga je nog iemand dopen vandaag?'

Er werd gelachen. Ik kon de lolbroek niet vinden, maar mijn

vader zag ik wel staan, en die vond het zo te oordelen niet grappig.

Neena stapte achter de katheder, tikte tegen de microfoon om zich ervan te verzekeren dat hij aanstond en stak van wal. 'Allemaal hartelijk welkom op deze bijeenkomst, waarmee we onze mede-leerling Gunnar Ümlaut willen steunen.' Opgewonden kreten en hoerageroep uit de menigte. Gunnar wuifde; voor het eerst sinds ik hem kende leek hij intens gelukkig. Hij buitte de situatie flink uit.

'Hou op met dat stomme gewapper,' siste ik.

Met opeengeklemde kaken grijnzend zei hij als een buikspreker: 'Het zou verdacht overkomen als ik het gejuich negeerde.'

'Deze avond,' ging Neena verder, 'is mede mogelijk gemaakt door uw gulle donaties.'

Ik haalde mijn tekst tevoorschijn, klaar om hem op te lezen, maar Gunnar stak me een programma toe dat speciaal voor de ge-legenheid was opgesteld. 'Hou die toespraak voorlopig nog maar even in je zak,' zei hij.

Neena, die later vast bruiloften gaat organiseren en pauzeoptre-dens bij de Super Bowl, had een hele rits activiteiten rond Gunnar voorbereid. De lijst besloeg vier velletjes, en 'Toespraak door An-thony Bonano' stond pas onder aan het vierde. Ik kreunde.

'Laten we allemaal gaan staan voor het nationale volkslied, ten gehore gebracht door ons jazzkoor.'

Het gordijn achter ons schoof open. Alle zangers waren net als Neena en Sinclair in TIJDSKRIJGER T-shirts gehuld. Ze gaven een pijnlijk langgerekte uitvoering van 'The Star-Spangled Banner'. Aan het einde riep iemand in het publiek: 'De wedstrijd begint!' en ze verdwenen achter het dichtglijdende doek.

Vervolgens nam de directeur het woord. Hij prees de school en de leraren de hemel in, hij slijmde bij de onderwijsinspecteur, en toen schakelde hij over op infomercialstand. 'Laat ik u even iets ver-tellen over de talloze leerlingenorganisaties, clubs en verenigingen die onze uitmuntende instelling rijk is...'

Helemaal achterin kon ik tante Mona's lippen zien bewegen. Mijn vader hoorde alles wat ze stond te spuien knikkend aan. Ik ademde diep en huiverend in. Ik zat zo aan mijn toespraak te frunniken dat hij helemaal gekreukt was.

'Sorry dat je zo lang moet wachten,' fluisterde Gunnar, 'maar moet je zien hoe blij iedereen is. Ze hebben allemaal het gevoel dat ze een goede daad doen door erbij te zijn.'

'Daarmee praat je het nog niet recht.'

Sinclair ging zitten, en Neena stapte weer achter de katheder. 'Dan laten we u nu met trots een korte film van onze eigen Ira Goldfarb zien.'

'Ira?' herhaalde ik hardop. Ik zocht de zaal af en zag dat hij op de tweede rij zat. Hij stak zijn duimen naar me op. Ik had geen idee gehad dat hij hierbij betrokken was geweest.

De lichten in de aula werden gedoofd, en op de schermen in de hoeken keken we naar een tien minuten durende documentaire met interviews met leerlingen en docenten, verborgen cameraopnamen van Gunnar waar hij niks vanaf had geweten, en een onsmakelijk gedetailleerde animatie-uitleg van systemische pulmonale monoxie, die mijn verhaal grotendeels overbodig zou maken. Er waren nummers onder gezet zoals 'Wind Beneath My Wings' en 'We Are The Champions'. Na de laatste slowmotionbeelden was de halve zaal in tranen, en mijn bewondering voor Ira's talent groeide. Al ergerde ik me er ook kapot aan.

Gunnar zat nog steeds als een imbeciel te grijnzen, maar ik merkte dat hij zich begon te generen. Dit was wel heel veel aandacht, zelfs voor hem.

Toen de schijnwerpers weer aangingen nam Neena opnieuw achter de katheder plaats. 'Was dat niet prachtig?' vroeg ze zonder een antwoord te verwachten, hoewel een of andere mafketel riep dat hij alles had laten lopen. 'Voordat we verdergaan,' vervolgde ze, 'zullen we eens naar de tussenstand kijken.' Ze haalde de microfoon uit de standaard en liep naar de thermometer toe, die hoog boven haar uit torende. 'Zoals u ziet streven we naar vijftig jaar. Op dit moment zitten we pas op zevenenveertig jaar en vijf maanden, maar vanavond zullen we ons doel bereiken!'

Er werd verdacht weinig geklapt.

'Wie helpt ons nog een eindje op weg?'

Ze wachtte. En wachtte. En wachtte nog wat langer.

Gunnar en ik keken elkaar aan. We begonnen ons opgelaten te voelen. Neena was te perfectionistisch om het bij zevenenveertig jaar en vijf maanden op te geven. De thermometer moest tot het bovenste randje worden afgestreept. Er lag zelfs een rode stift klaar om dat te kunnen doen. Niemand maar dan ook niemand zou weg mogen voordat Gunnar vijftig volle jaren had.

'Er is vast nog wel iemand die Gunnar wat extra tijd gunt,' drong Neena aan.

De directeur nam de microfoon over. 'Toe, beste mensen! Ik ken mijn leerlingen, jullie laten ons niet in de steek!' En dat gaf de doorslag – want nu werd het vol krijgen van de thermometer veel minder interessant dan ons daar als idioten te laten zitten.

Uiteindelijk was het Woody de huilebalk die opstond en het gangpad inliep, in het voorbijgaan high fives uitdelend. Terwijl hij het podium op stapte stak hij zijn handen omhoog alsof hij een nietbestaand applaus wilde stilleggen. Hij doneerde een maand en werd al snel gevolgd door de inspecteur en haar gevolg. Met elke handtekening werd het geklap zwakker.

'Oké,' zei Neena. 'Hiermee staan we op exact achtenveertig jaar. Wie volgt?'

Ik boog me naar haar toe. 'Neena,' fluisterde ik, 'dit is geen tv-marathon, we hoeven het doel niet per se te halen.'

'Ja! Dat! Moet! Wel!' snauwde ze terug op de hardste fluistertoon die ik ooit had gehoord. Ik keek naar de directeur, maar die was er ook door geïntimideerd.

Er kwam niemand meer naar voren, en ik begon me af te vragen of Neena het gebouw misschien zou laten vergrendelen en we hier tot morgenochtend vast zouden zitten.

Toen hoorde ik ineens van achter uit de zaal: 'Grote goden nog aan toe!' en daar kwam de verlosser aanlopen.

Mijn vader.

Ik knapte haast uit mijn vel van dankbaarheid terwijl hij zich een weg naar het podium baande. Na alles wat ik hem had aangedaan kwam uitgerekend hij me redden.

Neena stak haar hand naar hem uit, maar zijn gezicht straalde niet de geestdrift uit die ze zocht, en ze liet hem weer zakken.

'Hoeveel heb je nog nodig?' vroeg hij recht voor zijn raap.

'Twee jaar,' antwoordde Neena.

'Krijg je van me. Waar moet ik tekenen?'

Ik pakte een contract, gaf het hem en wees aan wat hij moest invullen.

'Bedankt, pa,' zei ik. 'Ontzettend bedankt.'

'We worden horendol van die tante van je,' zei hij tegen me. 'Als we hier niet snel weg kunnen, vliegen zij en je moeder elkaar nog naar de strot.' Hij veegde zijn klamme voorhoofd af en ondertekende het formulier. Nadat de directeur als getuige had gesigneerd, pakte Neena het van hem af en hield het omhoog voor het publiek.

'Mr. Bonano heeft ons twee hele jaren gegeven! We hebben ons doel bereikt!' En de massa was niet meer te houden, loeide en brulde bij het vooruitzicht eindelijk door te mogen naar pagina drie.

Mijn vader schudde Gunnar de hand, zette twee passen naar het trapje... en aarzelde. Hij draaide zich naar mij toe en veegde zijn voorhoofd weer af. Pas toen viel me op dat hij heviger transpireerde dan de anderen op het podium. Hij zag ook bleek, en dat kwam niet alleen door de felle schijnwerpers.

'Pa?'

Hij wapperde me weg. 'Laat me maar.'

Hij wreef over zijn borst, haalde diep adem en zakte plotseling door een van zijn benen.

'Pa!'

In een flits stond ik bij hem. Er stegen verschrikte geluiden op uit de zaal, tegen de achtergrond van de ijzel die op de ramen kletterde.

'Joe!' hoorde ik mijn moeder krijsen.

'Geen paniek. Het gaat best.'

Maar hij zonk verder omlaag, tot hij op handen en knieën zat.

'Ik... je moet me alleen even omhoog helpen.' Maar in plaats van zich overeind te duwen zakte hij dieper weg. Een tel later was hij omgevallen en lag hij plat op zijn rug naar lucht te happen.

En nog steeds hield hij vol dat alles in orde was. Ik wilde hem zo graag geloven. Dit gebeurt niet echt, hield ik mezelf voor. Als ik dat maar vaak genoeg zeg, ga ik het vanzelf wel geloven.

Vanaf dat ogenblik is alle samenhang verdwenen. Alles bestaat uit losse kreten en beelden zonder verband. De tijd spat uiteen.

Ma zit naast hem zijn hand vast te houden.

Mona stormt het podium op, haar bontjas tegen zich aan geklemd, en wordt opzij geduwd door de beveiliger die beweert te kunnen reanimeren maar niet al te zelfverzekerd klinkt.

Vanaf miljoenen mobieltjes wordt het alarmnummer gebeld.

'Het gaat best. Het gaat best. O, god.'

Gunnar staat naast Kjersten en Kjersten staat naast mij, en we kunnen helemaal niks uitrichten.

De beveiliger zit mijn vader hardop tellend hartmassage te geven.

Het hele publiek is overeind gekomen, alsof het volkslied weer wordt gezongen.

Pa zegt niets meer.

Piepende wieltjes van een brancard in het tussenpad. Waar komt die ineens vandaan? Hoe lang ligt hij hier eigenlijk al?

Een zuurstofmasker, en zijn vingers voelen zo koud aan, en de menigte wijkt voor ons uiteen, en ik, mijn moeder, Christina en tante Mona worden in het kielzog van de draagbaar naar de uitgang geloodst, waar de vrieslucht naar binnen slaat, tegen de warmte op botst en een mistvlaag veroorzaakt die opbolt als een oceaangolf.

En in de waanzin van dat verschrikkelijke moment snijdt één stem luid en duidelijk door de paniek heen. Eén stem die roept: 'O nee! Hij geeft twee jaar weg en hij valt dood neer!'

Ik probeer te zien wie dat heeft gezegd. 'HOU JE KOP!' schreeuw ik. 'HOU JE KOP! HIJ IS NIET DOOD!' Als ik hem te pakken krijg beuk ik hem zo in elkaar dat hij mee moet naar het ziekenhuis, denk ik, maar ik word alweer meegesleurd, de deur uit en het noodweer in.

Hij is niet dood. Hij is niet dood. Ze praten tegen hem terwijl ze hem in de ziekenwagen schuiven, en hij ligt te knikken. Zwakjes, maar hij knikt.

We springen in de auto om de ambulance te volgen, Gunnar, Kjersten, de thermometer en de menigte achter ons latend. Alles wat nog bestaat is de ijzel, de kou, de loeiende sirenes en de zwaailichten, terwijl we alle verkeersregels overtreden om hem bij te houden, want we weten niet waar ze mijn vader heen brengen, dus we mogen hem niet kwijtraken. We mogen hem niet kwijtraken. We mogen hem niet kwijtraken.

We verspillen zoveel tijd aan het piekeren over zinloze, onbenullige dingen. Vindt dat meisje me leuk? Ziet die jongen me wel staan? Heb ik een zes, een acht of een tien gehaald? Word ik door iedereen uitgelachen met dat lelijke shirt?

Het is verbazend hoe dat in een fractie van een seconde allemaal onbelangrijk wordt, wanneer het universum plotseling openscheurt en zichzelf onthult in al zijn onpeilbare diepten en duizelingwekkende hoogten. Je wordt erin omhoog gesleurd, en van boven is het perspectief angstaanjagend. Van zo ver weg lijken mensen net mieren.

Ik begrijp nu hoe het in de hel is, en je hoeft niet te sterven om er te komen. Je hoeft alleen maar in de wachtruimte van een ziekenhuis te gaan zitten.

Gezondheidszorg was wel het laatste waarmee je de afdeling spoedeisende hulp van Coney Island Hospital associeerde. Het leek eerder te draaien om een weerzinwekkende combinatie van domme pech, belabberde timing en slecht nieuws. Mijn vader werd meteen verder het gebouw in gereden, en wij bleven achter bij de balie, waar de patiënten die niet in onmiddellijk levensgevaar verkeerden op hun beurt zaten te wachten alsof ze bij de bakker waren.

'Moesten ze hem nou per se hierheen brengen?' zei tante Mona. 'Wat is er mis met Kings County, of Maimonides?'

Er zaten een hoop mensen met bebloede kleren, slordig verbonden wonden en opgeblazen, koortsachtige gezichten, die allemaal hun hoop hadden gevestigd op één enkele overbelaste receptioniste die – in theorie – de naam van de volgende omriep, al duurde het ruim een halfuur voordat ik haar dat voor het eerst hoorde doen. Ik bladerde wat in een tijdschrift maar kon me niet concentreren.

Christina zat zonder veel enthousiasme met een gehavend oud Bogglespelletje te spelen dat ze uit een kast had gehaald die naar vieze luiers rook. Mijn moeder leek het patroon van het tapijt te bestuderen.

'Waarom vertellen ze ons niks?' vroeg tante Mona. 'Wat een ongeorganiseerde bende is het hier.'

Het gigantische aquarium met nepkoraalrotsen en een plastic duiker zat vol groene smurrie. Zo te zien zwommen er maar drie vissen in, en ik dacht: als ze daar al niet voor kunnen zorgen, hoe willen ze dan mensen redden?

'Ik weet niet wat voor vlek dat is op die stoel hier,' zei tante Mona. 'Maar mooi dat ik er niet op ga zitten.'

Mijn mobieltje ging over. Ik herkende het nummer niet, dus ik drukte het gesprek weg. Het was al veel vaker overgegaan, en ik had geen enkele keer opgenomen. Terwijl ik het weer wegstopte schoot me iets te binnen.

'Je moet Frankie bellen,' zei ik tegen mijn moeder.

Ma schudde haar hoofd. 'Nog niet.'

'Je moet hem bellen!' herhaalde ik wat harder.

'Als hij het hoort, komt hij midden in de nacht helemaal vanuit Binghamton met dit weer met honderdvijftig kilometer per uur hierheen scheuren! Nee, bedankt, maar één Bonano in het ziekenhuis lijkt me meer dan genoeg. We bellen je broer morgenochtend wel.'

Ik stond op het punt verder aan te dringen – maar bij het zien van de blik in haar ogen drong het ineens tot me door. De hele familie bij elkaar halen, dat doe je als er iemand op sterven ligt. Zolang Frankie er niet bij was, lag er niemand op sterven. Om diezelfde reden had ze niet om een pastoor gevraagd.

Mijn telefoon ging opnieuw, en ik zette hem maar uit. Dachten mensen nou echt dat ik op zou nemen? Alsof hun behoefte iets te horen belangrijker was dan mijn behoefte er niet over te praten.

Een uur later kwam er een dokter die naar Mrs. Benini vroeg. Ik besteedde er geen aandacht aan, tot ma vroeg: 'Bedoelt u soms Bonano?'

De arts keek op zijn status en verbeterde zichzelf. 'Ja – Bonano.'

Het leek opeens alsof ik zelf ook een hartaanval kreeg. We schoten allemaal overeind.

'Mrs. Bonano, uw echtgenoot heeft een acute verstopping van de –'

Meer hoorde ik niet, want ik bleef haken op één woord.

Heeft.

Tegenwoordige tijd. 'Heeft' betekent 'is', niet 'was'. Het betekende dat mijn vader nog leefde. Nooit had ik de tegenwoordige tijd zo mooi gevonden. Ik zwoer dat ik nooit meer onverschillig met werkwoordsvormen om zou gaan.

'Hij krijgt met spoed een bypassoperatie,' vertelde hij ons. 'Een drievoudige bypass om specifiek te zijn.' Het feit dat er een woord voor bestond leek me gunstig. Als ze wisten wat ze moesten doen, dan konden ze het ook doen. Maar ma sloeg haar hand voor haar mond en er werd een verse bron tranen aangeboord, dus ik begreep dat het helemaal niet zo gunstig was.

'Het is een zware ingreep, maar uw man is sterk. Ik heb er goede hoop op dat hij het redt.' En toen zei hij: 'Op de eerste verdieping is een kapel, mocht u zich even terug willen trekken.' Wat je niet tegen iemand zegt als je werkelijk gelooft dat hun dierbare het gaat redden.

Met de belofte dat hij ons op de hoogte zou houden verdween hij weer door de klapdeuren.

Mijn moeder bleef stil. Christina bleef stil. Ik bleef stil. Maar tante Mona zei: 'Het komt door al die cholesterol die hij naar binnen werkt. Ik waarschuw hem al jaren. Onze vader, God hebbe zijn ziel, is op dezelfde manier gegaan, maar trekt Joe zich ergens iets van aan?'

In groep acht had ik bij natuurkunde meegedaan aan een geologieproject over vulkanen. Sommige houden zich aan de voorspellingen, braken gestaag magma uit, en andere ontploffen op een dag zomaar. Het steen is zo heet geworden dat het in gas is veranderd, en de klap is krachtiger dan die van een waterstofbom.

Een betere vergelijking kan ik niet bedenken voor wat er op dat moment met me gebeurde. Ik voelde de lava opborrelen zodra tante Mona halverwege haar zin was, en ik kon het met geen mogelijkheid meer binnenhouden.

Ma zag dat ik op het punt stond te exploderen. Ze probeerde me vast te pakken, maar ik schudde haar van me af. Dit viel niet af te remmen – niet door haar, niet door wie dan ook.

'Hou toch je rotkop!' krijste ik. Iedereen in de wachtruimte draaide zich naar me toe, maar het kon me niet schelen. 'Hou die rotkop of anders timmer ik hem dicht!'

Tante Mona gaapte me aan. Ze kon geen woord uitbrengen terwijl ik haar vastnagelde met mijn blik. 'U zit aan één stuk door te zaniken en te zeiken, iedereen af te katten, en zelfs nu kunt u uw bek nog niet houden!'

En toen zei ik het. De woorden die al door mijn hoofd gonsden sinds mijn vader op het podium in elkaar was gezakt.

'Was u het maar geweest!'

Ze staarde me aan alsof ik een mes in haar hart had gestoken.

'Anthony!' riep mijn moeder met stokkende adem.

Ik bleef Mona aankijken, had het gevoel dat ik haar met mijn ogen in de hens kon zetten. 'U had daar in die operatiekamer moeten liggen! Ik wou dat u doodging in plaats van hij.'

Het was eruit. Ik had het gemeend, en dat wist ze – iedereen in de wachtkamer wist het.

En van ergens naast me hoorde ik Christina met een klein stemmetje zeggen: 'Ik ook...'

Plotseling was het alsof de ruimte vacuüm werd gezogen. De muren kwamen op me af. Ik moest hier weg. Ik herinner me niet eens hoe ik naar buiten ben gekomen. Het volgende dat me weer bijstaat is dat ik in de parkeergarage naar de auto liep te zoeken. Ik had de sleutels niet, maar in haar paniek was mijn moeder vergeten hem op slot te doen. Gelukkig maar, want ik had desnoods een raampje ingeslagen. Ik vond het bijna jammer dat dat nu niet hoefde.

Binnen hing nog steeds de walm van tante Mona's parfum. Ik beukte op het dashboard. Tante Mona was degene die zich overal druk om maakte. Ze was een menselijke propeller die zo veel spanning de lucht in joeg dat iedereen erin stikte. Waarom was *zij* het niet geweest? Waarom?

Ik begon net een beetje bij zinnen te komen toen ma aan kwam lopen en naast me schoof.

'Geen preek!' schreeuwde ik nog voor ze haar mond open kon doen.

'Geen preek,' stemde ze zachtjes in.

We bleven een poosje zwijgend zitten, en toen ze eindelijk iets zei, was het: 'Het leek tante Mona beter om maar een kamer te nemen in het hotel hier tegenover het ziekenhuis. Dan is ze in de buurt.' Wat betekende dat ze niet bij ons zou logeren. Ik vroeg me af of ik haar ooit nog zou zien. Ik vroeg me af of het me ook maar iets uitmaakte.

'Mooi,' zei ik. Ik mocht dan wat gekalmeerd zijn, dat veranderde niks aan wat ik had gezegd, of aan het feit dat ik het meende.

Toen zei mijn moeder iets wat ik niet aan zag komen. 'Anthony... je begrijpt toch wel dat ik hetzelfde dacht?'

Ik keek haar aan, twijfelend of ik haar goed had verstaan. 'Wat?'

'Vanaf het moment dat ik me realiseerde dat je vader een hartaanval had, moest ik mijn lippen op elkaar persen om het binnen te houden. *Het had Mona moeten zijn, niet Joe – het had Mona moeten zijn...*' Ma kneep haar ogen dicht, en ik zag dat ze probeerde de verschrikkelijke gevoelens te verjagen. 'Maar lieverd, sommige dingen moet je nooit hardop uitspreken.'

Het besef dat ze gelijk had maakte me alleen maar kwader. Ik klemde mijn kaken zo hard op elkaar dat ik bang was dat mijn gebit zou verbrokkelen – en wat dan? Dan zouden we boven op de operatiekosten ook nog bedolven worden onder de tandartsrekeningen. 'Als je maar niet denkt dat ik er spijt van heb.'

Ze klopte op mijn arm. 'Geeft niet,' zei ze. 'Dat komt op een dag nog wel, en dan zie je maar hoe je het oplost.'

Ergens in de garage ging een autoalarm af dat overal om ons heen weergalmde.

'Nog niks van de dokter gehoord?'

'Nog niet. Maar dat is een goed teken.'

Ik wist wat ze bedoelde. Het was een operatie van vier, vijf uur. Er was maar één reden om eerder op te houden.

'Ik kan maar beter weer naar binnen gaan,' zei ma. 'Kom maar als je zover bent. We zitten in de kapel.' Ze stapte uit en was verdwenen.

Mijn razernij omdat het allemaal zo oneerlijk was bleef doorwoeden, maar iets ervan kaatste nu van tante Mona af en bleef aan mijzelf plakken. Want was ik niet degene die die karaf ijswater over senator Boswell had uitgegoten en mijn vader daarmee in de problemen had gebracht? Was ik niet degene die altijd brutaal was, ruzies veroorzaakte en het hem zo thuis ook nog eens moeilijk maakte? Was ik misschien degene die hem de afgrond in had geduwd?

Ik dacht aan de tijdcontracten en besefte dat ik in zekere zin het noodlot had getart – God had gespeeld. Was dit mijn straf? Was dit, zoals ze zeggen, mijn loon der zonde?

Ik had al het gevoel dat mijn hersens in gortepap waren veranderd, en nu begon die ook nog te schiften. Je zou het een naschok kunnen noemen, of een vlaag van verstandsverbijstering, noem het maar wat je wilt. Het enige dat ik wist was dat in mijn zuivelbreinige toestand de letters van mijn eigen mentale Bogglespel plotseling samenvielen en in tongen begonnen te spreken.

Feit: Binnen een paar tellen nadat hij twee jaar van zijn leven had afgestaan, had mijn vader een hartaanval gekregen.

Feit: Het was mijn schuld dat die tijdcontracten bestonden.

Feit: Bij Gunnar Ümlaut op de kamer lag een dikke zwarte ringmap met voor bijna vijftig jaar aan donaties.

Jaren die ik terug kon vorderen.

Als ik al die formulieren nou meenam en ze naar hem toe bracht – of beter nog, ze in de kapel op het altaar legde... Stond er eigenlijk wel een altaar in een ziekenhuiskapel? Zo niet, dan zou ik er zelf een maken. Ik zou gewoon een tafel neerzetten en die met wijwater besprenkelen. Ik zou mijn daden verwerpen – oprecht verwerpen, en ik zou met God onderhandelen over die papieren. En dan, wanneer de koop eenmaal rond was, zou de ochtend aanbreken, de operatie zou geslaagd zijn, en ik zou nog steeds een vader hebben.

Dit was niet zomaar een inval, dit was een visioen. Ik kon de halleluja's van het gospelkoor bijna horen.

Ik stapte de auto uit. Mijn adem maakte stoompufjes in de nachtelijke kou, en ik liep de straat op om het dichtstbijzijnde metrostation te zoeken.

Er waren dingen gebeurd waarvan ik niet op de hoogte was, en waar ik pas veel later achter zou komen – zoals hoe het er in de aula aan toe was gegaan nadat mijn vader met spoed was afgevoerd.

O nee! Hij geeft twee jaar weg en hij valt dood neer!

Ik had er niet bij stilgestaan dat meer mensen dat hadden gehoord – en het deed er niet toe dat het ernstig overdreven was. Wat ertoe deed was de mogelijkheid dat hij zou bezwijken. Net als mijn uitbarsting tegen tante Mona was het iets wat iedereen dacht maar wat te riskant was om hardop te zeggen.

In de vertwijfeling en de opgelatenheid na ons vertrek had Sinclair geprobeerd de zaak weer in het gareel te krijgen; *the show must go on*, of zoiets. Het lukte niet; er was een wolk van ongerustheid opgestegen vanuit de menigte – niet om mijn vader, maar om henzelf. Toen had iemand geroepen: 'Hé, ik wil mijn maand terug!' en alle ogen hadden zich op Gunnar gericht.

Iedereen was om hem heen samengedromd, er werd er aan hem gesjord en getrokken om de formulieren terug te krijgen. Toen hij ze niet direct hun zin had gegeven, was de sfeer dreigend geworden. Mensen begonnen te schelden en elkaar weg te duwen, en een stel leerlingen had dat opgevat als het startsein om nog meer stennis te schoppen. Door met anderen op de vuist te gaan en met spullen te smijten hadden ze een enorme chaos gecreëerd. De groepsterreur was uitgebroken.

Gunnar en Kjersten hadden samen met de onderwijsinspecteur via een achterdeur weten te ontsnappen. De arme directeur was met een handjevol docenten achtergebleven, en ze hadden tevergeefs geprobeerd de orde te herstellen. Uiteindelijk waren onder leiding van Wendell Tiggor zo'n twintig hardekerncriminelen en aspirant-delinquenten plunderend door het gebouw getrokken. Er werd die dag geschiedenis geschreven.

Maar daar wist ik allemaal nog niets van toen ik om halfeen die nacht bij Gunnar en Kjersten aankwam.

Ik belde aan en bonkte tegelijk op de deur, bleef maar bellen en bonken, totdat Mrs. Ümlaut in haar badjas open kwam doen. Aan de koffers die nog in de gang stonden zag ik dat ze pas thuisgekomen moest zijn. Zonder haar ook maar te begroeten drong ik voor haar langs en stoof de trap op.

'Waar ga je heen? Wat wil je?' riep ze, maar ik had geen tijd om het uit te leggen.

Gunnars deur zat dicht maar niet op slot. Het enige dat vanavond in mijn voordeel werkte: niet-afgesloten deuren. Ik tastte naar de schakelaar en klikte het licht aan.

Gunnar veerde knipperend overeind in bed, nog niet helemaal bij bewustzijn.

'Waar zijn ze?' riep ik.

'Antsy? Wat... wat is er aan de hand?'

'De contractenmap! Waar is die? Vertel op!'

Het duurde even voor hij de vraag had verwerkt. Toen blikte hij naar zijn bureau. 'Die ligt daar, maar –'

Meer hoefde ik niet te horen. Ik pakte de map – en merkte meteen dat hij veel te licht was. Ik klapte hem open en zag dat hij leeg was. De formulieren waren allemaal verdwenen.

'Waar is alle tijd? Ik moet die tijd terug!'

'Dat kan niet!' zei Gunnar.

Fout antwoord. Ik trok hem zo ruw zijn bed uit dat zijn T-shirt scheurde. 'Geef terug, nu meteen!' Ik had nog nooit met geweld mijn zin doorgedreven, maar op dit moment was ik bereid al mijn spierkracht in te zetten.

Achter me hoorde ik Kjersten mijn naam roepen, ik hoorde hun moeder gillen, en dat gaf me nog een extra zetje om hem een extra zetje te geven. Ik kwakte hem tegen de muur. 'Geef hier!'

Er stootte iets tegen mijn rug, en ik keek om. Mrs. Ümlaut was me aangevallen. Met een of ander wapen ging ze me brullend te lijf. De klap werd iets verzacht door mijn jas, maar het deed toch zeer.

Ze haalde opnieuw uit, en nu zag ik wat ze vasthad. Het was een vleeshamer. Een vierkant roestvrijstalen stuk keukengerei. Ze maaide ermee in mijn richting als met de hamer van Thor, en ik voelde hem dwars door mijn jas op mijn schouder terechtkomen.

'Au!'

'Ophouden!' gilde ze. 'Hou op!'

Maar ik hield niet op. Ik hield niet op totdat Kjersten zich op het slagveld begaf en een vuist waarin de kracht van alle oud-Noorse goden was samengebald in mijn gezicht plantte.

Ik sloeg tegen de vlakte.

Jij zult zulke pijn niet kennen – en als je die wel kent, vind ik dat heel vervelend voor je.

Had ze mijn neus geraakt, dan was die gebroken geweest. Had ze mijn kin geraakt, dan hadden mijn kaken maandenlang met draad aan elkaar gebonden moeten zitten. Maar ze had mijn oog geraakt.

Alle spieren die een tel geleden nog paraat waren geweest om Gunnar aan flarden te scheuren, gooiden de handdoek in de ring en werden in één klap slap. Ik ging net niet buiten westen, en het lukte me maar nauwelijks om mijn hand naar mijn hoofd te brengen en het uit te kermen. Mijn linkeroog zwol binnen een paar tellen zo op dat het dichtzat.

In peilloze vernedering, van de soort waarna alleen nog maar duisternis bestaat, liet ik toe dat Kjersten me de trap af hielp, de keuken in. Ik was zojuist met één enkele stomp gevloerd door mijn vriendinnetje. Veel meer schade kon je reputatie niet oplopen.

'Ik moest wel,' zei ze terwijl ze een zak met ijsklontjes voor me vulde. 'Als ik er niet tussen was gesprongen, had mijn moeder je bewusteloos geslagen met die vleeshamer.'

'Bewusteloos,' mompelde ik, 'was het maar waar, dan voelde ik nu niks.'

Ze leek uit zichzelf te begrijpen waarom ik zo door het lint was gegaan – per slot van rekening had ze op de eerste rij gezeten toen mijn vader die hartaanval kreeg. Ik vertelde hoe het ervoor stond met hem, en ze liep naar de woonkamer om het aan haar moeder uit te leggen. In het Zweeds, waarschijnlijk de taal der liefde in dit gezin. Ik zag Mrs. Ümlaut opzij blikken terwijl ze praatten. Eerst keek ze uiterst achterdochtig, maar haar wantrouwen vervaagde uiteindelijk, en haar moederlijke instinct keerde terug.

Gunnar kwam bij me zitten. Dat verraste me nogal omdat we nu een dader-slachtoffer-relatie hadden, maar zo te oordelen zat hij niet in zijn maag met mijn onverhoedse aanval. Misschien omdat hij genoeg andere zaken had om mee in zijn maag te zitten.

'Ik denk niet dat de school die National Blue Ribbon nog krijgt,' zei hij, en hij vertelde wat een heksenketel er was uitgebroken nadat wij van de bijeenkomst waren vertrokken. 'Ik kan alleen niemand zijn tijd teruggeven. Jou ook niet. Vorige week heeft mijn vader de papieren gevonden en alles in de open haard gegooid.'

En daarmee ging al mijn hoop op verlossing letterlijk in rook op. Zonder die contracten kon ik wat ik op mijn geweten had niet terugdraaien. Al was ik inmiddels weer voldoende bij zinnen om in te zien dat ik mijn vader nooit had kunnen helpen met die formuleren.

Gunnar vertelde dat zijn vader officieel was opgestapt zodra zijn moeder was thuisgekomen. 'Ze gaan scheiden.'

Ik had bijna gezegd dat dat niks voorstelde vergeleken bij wat mijn ouders was overkomen – maar bedacht toen dat ik dan net als tante Mona zou klinken. Een ramp? Je weet pas wat een ramp is als je vader een hartaanval heeft gehad. En in Chicago zijn ze veel zwaarder.

Ik mocht zijn verdriet niet bagatelliseren. Ieder probleem is gigantisch, tot zich een nog gigantischer probleem aandient.

Even later kwamen Kjersten en haar moeder de keuken in. Gelukkig had Mrs. Ümlaut de vleeshamer niet bij zich. Ze ging naast me zitten; haar gezicht stond veel vriendelijker dan toen ik het huis was binnengestormd. 'Je vader?' vroeg ze.

'Ze zijn nog steeds met hem bezig. Althans, toen ik wegging wel.'

Ze knikte. Toen pakte ze mijn handen vast, keek in mijn nog functionerende oog en zei iets wat me de rest van mijn leven bij zal blijven.

'Of hij haalt het, of hij gaat dood.'

Dat was het. Meer niet. Toch viel alles ineens in helder perspectief. Of hij haalt het, of hij gaat dood. Alle heisa, alle gekte, alle paniek betekende niets. Dit was een gok – het rollen van de dobbelsteen. Ik wist niet waarom, maar ik putte er troost uit. Er waren tenslotte maar twee uitkomsten mogelijk. Ik kon de afloop niet voorspellen, ik had er geen invloed op. Ik was bang geweest om het woord 'dood' uit te spreken, maar nu het gezegd was, zo duidelijk en met zoveel medeleven, had het geen macht meer over me.

Voor het eerst die avond liet ik de tranen toe. Ik huilde alsof de wereld verging – al wist ik dat die er morgen nog gewoon zou zijn. Het werd misschien geen vrolijke dag, maar aanbreken zou hij.

Ik voelde dat Kjersten haar hand op mijn schouder legde en liet me door iedereen troosten. En toen ik eenmaal uitgesnotterd was, zei Mrs. Ümlaut: 'Kom, dan breng ik je terug naar het ziekenhuis.'

Toen ik de wachtruimte inliep zag ik dat er inmiddels meer bekenden waren gearriveerd. Familie die we met de feestdagen niet hadden gezien, Barry uit het restaurant, een paar goede vrienden – en te midden van al die mensen zaten Lexie en haar grootvader. Ik liep rechtstreeks op haar af. Moxie duwde zich overeind toen hij me zag naderen, waardoor Lexie al voordat iemand mijn naam had gezegd besefte dat ik er was.

'We zijn meteen hierheen gekomen,' zei ze. 'Waar heb jij gezeten?'

'Lang verhaal. Is er al nieuws?'

'Nog niet.'

Ik keek om me heen. Tante Mona was teruggekomen, en Christina lag slapend tegen haar aan. Ik vroeg me af of die twee het hadden bijgelegd. Mijn tante hield haar blik afgewend.

Crawley, die buiten onze ontvoeringen alleen zijn huis uit was te krijgen als je hem met een koevoet loswrikte, kwam naar me toe. 'Stuur alle rekeningen maar naar mij door,' zei hij, 'wat het ook gaat kosten.'

Heel even wilde ik hem afsnauwen, maar ik had mijn portie

woede wel gehad voor die avond. 'Bedankt, maar we hoeven uw geld niet.'

'Je neemt het maar mooi aan,' zei hij, en hij voegde eraan toe, met meer emotie in zijn stem dan ik ooit eerder had gehoord: 'want geld is het enige waarmee ik jullie kan helpen.'

Met een stil knikje accepteerde ik het uiteindelijk.

'Je moeder is naar de kapel,' zei Lexie.

'Oké.' Ik stak vluchtig mijn hand op naar de rest van de familie en vrienden en ging naar haar op zoek.

De kapel had weinig om het lijf – er waren maar vier rijen banken, die er te comfortabel uitzagen om doeltreffend te kunnen zijn. Er hing een klein paneel van gebrandschilderd glas dat van achteren door fluorescerende lampen werd verlicht. Een kruis was er niet, want het was een multifunctionele spirituele ruimte, opengesteld voor alle religies. Het pronkstuk was een hoge kast vol Bijbels en andere heilige boeken in alle soorten en maten; werkelijk niemand was vergeten. Het Oude Testament, het Nieuwe Testament, de Koran, de Thora, noem maar op, voor elk wat wils.

Op mijn moeder na was het zaaltje verlaten. Ze zat geknield op de tweede rij. Het was typisch voor haar om de tweede rij te nemen, ook al was er niemand anders.

'Ben je in de auto in slaap gevallen?' vroeg ze zonder zich naar me toe te draaien.

'Hoe wist je dat ik het was?'

'Ik ruik het meteen als je aan een douche toe bent,' antwoordde ze.

Net als Lexie had zij geen gezichtsvermogen nodig. Nou ja, zolang ze niet naar me keek, zou ze mijn dichtgeplakte oog tenminste niet zien.

'Kom erbij, Anthony, bid met me mee.'

Ik deed wat ze vroeg. Ik knielde naast haar neer en viel in – en terwijl ik met haar meeprevelde, begreep ik voor het eerst in mijn leven waar het toe diende. Niet zozeer de woorden van het gebed, als wel het idee ervan.

Of je met bidden het verloop van iets kunt veranderen, zal ik nooit weten. Een hoop mensen geloven van wel. Ik zou het ook graag geloven, maar garanties krijg je niet. De een vraagt ergens om, en als dat dan gebeurt, is hij ervan overtuigd dat zijn gebed is verhoord. De ander krijgt zijn zin niet en valt dan van zijn geloof. Alleen maar doordat de dobbelsteen op de verkeerde kant is neergekomen.

Ik bad die avond niet om de vervulling van mijn eigen wensen en verlangens. Ik bad voor mijn vader, en voor mijn moeder, ik bad voor de hele familie. Niet omdat het zo hoorde, niet omdat ik bang was voor de gevolgen als ik het naliet. Ik deed het omdat ik het wilde, vanuit de grond van mijn hart.

Op dat moment realiseerde ik me – en vergeef me dit hele onbevlekte zondagsschoolverhaal, maar ik moet het uitbuiten want zo vaak overkomt het me niet – dat bidden niet voor God is bedoeld. Die zit er helemaal niet op te wachten. Hij zweeft ergens daarboven, of daarbinnen, of zit in zijn Firmament, wat dat ook mag zijn, alwetend en almachtig, toch? Voor hem hoeven we die zinnen heus niet week na week op te dreunen. Goed, als Hij bestaat, dan durf ik te wedden dat Hij luistert, maar het heeft geen enkel effect op hem.

Nee, het heeft effect op óns.

Ik weet niet of dat klopt, of dat ik gewoon aan het ijlen was door slaapgebrek... maar als het waar is, is het letterlijk een godsgeschenk.

Ik liet het aan mijn moeder over te beslissen wanneer het tijd was om op te houden, want ik had eindeloos door kunnen gaan. Ik denk dat ze dat aanvoelde. En ik denk dat ze er blij om was. Tot ze volgens mij bang werd dat ik het klooster in zou willen. Zelf maakte ik me daar geen zorgen over.

Het was midden in de nacht. Halfvier, en we hadden nog steeds niks gehoord. Ma keek me aan, en nu pas leek ze mijn opgezwollen oog op te merken, maar ze vroeg er niet naar. In plaats daarvan zei ze: 'Ik denk dat je gelijk hebt. Misschien moet ik Frankie nu maar eens bellen.'

Ze haalde haar mobieltje tevoorschijn en drukte een toets in. Toen ze verbinding kreeg, vertrok haar gezicht zo van afgrijzen dat ik het zelf ook benauwd kreeg.

'Wat? Wat is er?'

De verschrikte uitdrukking vervaagde, en er verscheen iets anders, iets wat ik niet kon benoemen. 'Hier,' zei ze, 'luister maar naar de boodschap.'

Ik nam het toestel van haar over, juist toen het bericht werd herhaald.

'U bent verbonden met het mortuarium van Kings County. Buiten kantooruren zijn wij gesloten, maar als dit een spoedgeval is, kies dan nul. Voor overige zaken verzoeken wij u overdag tussen negen en vijf terug te bellen.'

Mijn mond zakte open, en ik schudde langzaam mijn hoofd. Dit was mijn schuld. Ik had inderdaad uit een geintje het mortuarium onder een sneltoets gezet, en ik moest Frankies nummer overschreven hebben. Wat een waardeloze timing.

'O, ma, sorry. Sorry, sorry, sorry.'

Ik schoot vol, want in deze situatie, op deze plek, leek het bijna een slecht voorteken.

Mijn moeder maakte een verstikt geluid en wendde zich af. Ik hoorde haar hikken, en nog eens, en toen ze zich terugdraaide, zag ik dat ze dwars door haar tranen heen zat te lachen.

'Wat ben je toch een rotjong.'

En voor ik het wist zat ik mee te lachen. Ik sloeg mijn armen om haar heen en hield haar vast, en samen schaterden en huilden we, we schaterden en huilden als een stelletje idioten, tot achter ons iemand zijn keel schraapte om onze aandacht te trekken.

De dokter was binnengekomen. Misschien begreep hij wat we voelden, misschien ook niet. Misschien had hij alles gezien. Hij begon te praten voordat we de kans hadden ons schrap te zetten.

'Hij heeft de operatie doorstaan,' zei hij, 'maar de komende vierentwintig uur zijn cruciaal.'

De volgende dag legde mijn vader haast weer het loodje, maar hij
bleef overeind en begon daarna op te knappen. Op vrijdag mocht hij
van de intensive care af, en zaterdag lag hij zich al te vervelen. Hij
probeerde mijn moeder over te halen te vertellen hoe het met het
restaurant ging, maar het enige dat ze wilde zeggen was: 'Dat staat
er nog', en ze verbood iedereen over de zaak te praten, uit angst dat
hij dan van de stress weer een hartstilstand zou krijgen.

Nu pa aan de beterende hand was en hij door hele horden vrienden en familie werd vertroeteld, dreven mijn gedachten af naar Kjersten en Gunnar. Ik ging die zondagochtend naar ze toe om te kijken
of ze het wel redden met hun eigen problemen, en om ze als het even
kon te helpen.

De kerstkrans was verdwenen, en de aankondiging van inbe-
slagname hing nu open en bloot aan de voordeur.

'Opgeruimd staat netjes,' hoorde ik een bierbuikige buurman
tegen een andere zeggen, terwijl ik het huis naderde. 'Na wat ze met
onze tuin hebben geflikt, mogen ze van mij terug naar waar ze vandaan komen. Verrekte buitenlanders.'

Ik draaide me naar hem toe. 'Eerlijk gezegd heb *ik* dat gedaan,
en ik ga nergens heen. En wat nu, hè?'

Hij nam een trek van zijn sigaret. 'Loop jij maar lekker door,'
zei hij vanachter de veiligheid van zijn halfhoge ijzeren afscheiding.

'Wees maar blij dat er een hek tussen ons in staat,' zei ik. 'Anders
had ik u aan mootjes gehakt.' Ik moet zeggen dat het heerlijk is om
mensen die het verdienen een grote bek te geven.

Toen ik aanbelde, deed Mrs. Ümlaut open, en ze trok me naar
binnen alsof er buiten een sneeuwstorm woedde in plaats van dat er
een winterig zonnetje scheen. Ze gaf Kjersten amper de gelegenheid
me te omhelzen voordat ze me de keuken in sleurde, me praktisch

begroef in wentelteefjes en me begon uit te horen over mijn vaders toestand. Nu ik met een keur aan Ümlauts op de vuist was geweest en herhaaldelijk met een stomp voorwerp was belaagd, hoorde ik er kennelijk helemaal bij.

Even later liep ik de trap op naar Gunnars kamer. Hij had een Europese zwart-witfilm op staan, *Het zevende zegel*.

'Hij is van Ingmar Bergman, beschermheilige van alles wat Zweeds is,' zei hij. 'Het gaat over een schaakpartij met de dood.'

'Logisch,' zei ik, 'waar zou jij anders naar kijken?'

Ik ging op de stoel bij zijn bureau zitten. Het blad was stoffig, alsof hij al in geen weken huiswerk meer had gemaakt.

'Wat is dat eigenlijk voor ding dat Magere Hein vasthoudt?' vroeg ik.

'Het heet een zeis,' antwoordde hij. 'Die gebruikten ze vroeger om graan te oogsten.'

'En de hedendaagse dood gebruikt een maaimachine?'

Gunnar grinnikte een beetje.

We keken een paar minuten naar de dvd. Er was een scène bezig waarin het hoofdpersonage uit een hoog raam staat te staren, zogenaamd oog in oog met de horizon van zijn eigen sterfelijkheid. Het deed me denken aan de vent die met Thanksgiving van Roadkyll Raccoon af was gevallen. Ik vroeg me af of hij net als de man in de film Magere Hein klaar had zien staan.

Magere Hein is bij niemand populair. Hij is te vergelijken met die belastingcontroleur die een paar jaar geleden bij ons langs is geweest. Hij doet gewoon zijn werk, maar iedereen heeft uit principe een bloedhekel aan hem. Als hij echt bestaat en hij komt me op een dag halen, heb ik me voorgenomen hem melk met koekjes aan te bieden, zoals kleine kinderen bij de kerstman doen. Dan doet hij misschien wel een goed woordje voor me. De dood een beetje paaien kan nooit kwaad.

'Slim dat je aansluiting blijft zoeken bij je wortels,' zei ik tegen Gunnar. 'Ik zou zelf vaker Italiaanse films moeten kijken.'

Hij zette het toestel uit. 'Ik hoef het verder niet te zien,' zei hij, 'ik weet toch al hoe het afloopt. De dood wint.'

Ik haalde mijn schouders op. 'Dat betekent nog niet dat jij grafstenen moet gaan beitelen.'

Gunnar gooide de afstandsbediening op zijn bureau. 'Daar ben ik mee gestopt.' Hij strekte zijn vingers. 'Volgens mij heb ik er carpaaltunnelsyndroom van gekregen.'

Hij keek een poosje naar zijn hand, en hoewel zijn blik op hetzelfde punt gericht bleef, zag ik dat hij met zijn gedachten mijlenver weg was.

'Mijn vader is weer naar het casino,' zei hij. 'Hij heeft nog geen woonruimte gevonden, dus ik denk dat hij daar voorlopig in het hotel blijft zitten. Misschien zet hij wel gewoon een kampeerbed onder een roulettetafel. Het kan me niet schelen ook.'

Ik wist dat hij dat niet meende. Ik begreep wat hij doormaakte, want ik had zelf een paar dagen eerder ook bijna mijn vader verloren. Op een andere manier, maar in wezen was er weinig verschil. Magere Heinen verschijnen in allerlei gedaanten. En ze maaien niet altijd de hele akker kaal – soms laten ze alleen wat graancirkels achter.

Het kan me niet schelen ook, had Gunnar gezegd – en ineens realiseerde ik me dat Gunnar eindelijk, eindelijk, in het stadium van de ontkenning zat. Het was een grote sprong voorwaarts, of juist achterwaarts in zijn geval, en het bracht me op een idee.

'Luister, ik weet dat jullie huis in beslag wordt genomen,' zei ik tegen hem, 'maar denk je dat jullie samen nog genoeg geld bij elkaar kunnen schrapen om je moeders auto vol te tanken?'

Mocht het ze niet lukken, dan had ik nog wel voldoende op zak.

Bij verslaafden worden er wel eens zogenoemde interventies gehouden. Ik ken het omdat mijn ouders het een keer hadden moeten doen bij een oud-klasgenoot van mijn vader, die aan de designerdrugs was. Alsof een drugsverslaving al niet erg genoeg is, hebben ze er ook nog eens designers bij betrokken. Het kwam erop neer dat hij door al zijn familie en vrienden in een kamer werd neergeplant, en dat ze hem inprentten dat ze zo van hem hielden en dat hij zo dom bezig was. Liefde en vernedering – het is een krachtige combinatie die waarschijnlijk zijn leven heeft gered.

Zoiets had ik ook in gedachten voor Mr. Ümlaut – een knus-knuffelige interventie. Maar het liep een beetje anders.

Het Anawana-reservaat lag diep verscholen in de Catskill Mountains, en op het terrein van een voormalig zomerkamp waren een hotel en een casino neergezet, wat maar weer eens bewijst hoe de tijden veranderen. Vanaf de parkeerplaats waren de vervallen gele en bruine hutten nog te zien. Er hoorde een rivierboot bij waarin je, voor een paar dollar extra, al gokkend over het meer kon dobberen.

In de grote zaal liepen beveiligers rond, maar ik geloof dat Kjersten, Gunnar en ik er oud genoeg uitzagen om de minimum-leeftijd te hebben – of in elk geval oud genoeg om een poosje genegeerd te worden, want ze hielden ons niet tegen toen we naar binnen gingen.

Kjersten was nogal stil terwijl ze zich voorbereidde op de hinderlaag, want zo mocht je dit wel noemen. 'Denk je echt dat dit iets uithaalt?' vroeg ze aan me.

Ik had geen idee, maar het feit dat ze het vroeg betekende dat ze nog hoop had. Ze greep mijn hand vast, en ik realiseerde me dat ik niet langer haar poort naar een simpeler tijd was. Ondanks het leeftijdsverschil zou ze me nooit meer als 'jonger' zien. En toch hield ze mijn hand vast.

Mr. Ümlaut zat een eind verderop craps te spelen. Terwijl we zijn kant op liepen wist ik al bij het zien van zijn verbeten gezicht en de kringen onder zijn ogen dat dit geen hartverwarmende ontmoeting zou worden.

Hij gooide de dobbelstenen, en kennelijk ging het hem goed af. De adrenaline had de gokkers rond de tafel in de greep.

'Papa?' zei Gunnar. Hij moest het nog een keer zeggen om zijn aandacht te trekken. 'Papa?'

Met de dobbelstenen nog in zijn vuist merkte Mr. Ümlaut ons eindelijk op, en het was alsof hij wakker werd uit een droom. 'Gunnar? Kjersten?' Toen zag hij mij staan, en hij nam me dreigend op, alsof het aan mij te wijten was dat zijn zoon en dochter ineens voor hem stonden, wat ook klopte.

'Meneer,' zei de croupier, die razendsnel begreep hoe de vork in de steel zat, 'uw kinderen mogen hier niet komen.'

'Ik weet het,' bromde hij, en hij wierp doodleuk nog een keer.

Ik had geen verstand van de spelregels, maar blijkbaar was elf gunstig, want de andere gokkers loeiden.

'Jullie hebben hier niks te zoeken,' zei hij toen tegen ons. 'Jullie moeder is er toch niet bij, hè?'

'Nee, we zijn maar met zijn tweetjes, papa,' zei Kjersten zacht.

'Jullie moeten naar huis.'

Na een korte aarzeling gaf de croupier hem de dobbelstenen weer aan. Mr. Ümlaut schudde ze terwijl de anderen onrustig af-wachtten. Toen het tot hem doordrong dat we niet zomaar zouden verdwijnen, zei hij: 'Ga maar naar de lobby, ik kom er zo aan.' Hij wierp. Negen. Deze keer werd er minder enthousiast gereageerd.

'Meneer, ik moet er helaas op aandringen,' zei de man achter de tafel, en hij wees naar ons.

Op zijn beurt wees Mr. Ümlaut naar de lobby. 'Jullie horen wat hij zegt!'

Inmiddels was de kerel die toezicht hield op de hele rij craps-tafels onze richting op gekomen. Het was de voorman – de croupier der croupiers. 'Problemen?' vroeg hij.

'Nee hoor,' antwoordde Mr. Ümlaut, en hij siste tegen Gunnar en Kjersten: 'Naar buiten jullie, voordat er een scène van komt.'

Kjersten bleef zwijgend staan, maar Gunnar was brutaal genoeg voor allebei.

'Een scène,' zei hij. 'Dat valt te regelen.' Hij knikte en zette een stap achteruit. Ik dacht dat we naar de lobby zouden gaan, maar in het midden van het tussenpad draaide hij zich ineens weer om. Heel even verwachtte ik dat hij iets wijs en diepzinnigs ging zeggen – een toepasselijk nepcitaat misschien. Maar nee. Gunnar bleek het tijd te vinden om te zingen. En hard ook. Hij brulde uit volle borst, en aan de klanken die uit zijn mond kwamen kon ik geen touw vastknopen.

'*Du gamla, Du fria, Du Fjällhöga nord…*'

Op het gebied van interventies was dit een heel nieuwe ontwikkeling.

'Het is het volkslied van Zweden,' legde Kjersten aan me uit.

'*Du tysta, Du glädjerika sköna!*'

Mr. Ümlaut gaapte zijn zoon aan met zo'n gezicht vol geschoktheid en gêne dat alleen een ouder op kan zetten.

'*Jag hälsar Dig, vänaste land uppå jord.*'

Kjersten viel in – nu was het een duet. Omdat ik het Zweedse volkslied niet kende, improviseerde ik door het meest Zweedse in te zetten dat me te binnen schoot: een liedje van die Zweedse groep uit de jaren zeventig, Abba.

De croupier keek hulpeloos naar de voorman, de voorman begon driftig te gebaren, en de bedrijfsleider kwam aangehold.

'*Din sol, Din himmel, Dina ängder gröna.*'

Al het gegok in het casino kwam piepend en krakend tot stilstand door ons optreden.

'*You can dance! You can jive! Having the time of your life!*' zong ik tegen de bedrijfsleider, die het veel minder kon waarderen dan ik vond dat ik verdiende.

Kjersten en Gunnar rondden het volkslied af, en hoewel ik nog wat coupletten van 'Dancing Queen' overhad, leek het me slimmer er ook maar een punt achter te zetten. Een paar gokkers applaudisseerden, en omdat we niet wisten wat we anders moesten doen, maakten we alle drie een theatrale buiging.

De bedrijfsleider wendde zich tot Mr. Ümlaut. 'U kunt maar beter opstappen.'

Mr. Ümlaut keek allesbehalve vrolijk terwijl we door de zaal naar de lobby liepen, terwijl Gunnar juist triomfantelijk liep te glunderen om zijn kleine overwinning, nog triomfantelijker dan op de avond van de bijeenkomst. Maar Kjersten maakte zich duidelijk nog zorgen, want zij wist net zo goed als ik dat dit maar één slag was in een veel grotere oorlog. Kennelijk ergerde de beveiliger die ons afvoerde zich aan Gunnars zelfingenomen grijns, want hij behandelde hem hardhandig, en werd nog ruwer toen Gunnar zich uit zijn greep probeerde te bevrijden.

'Laat je me gewoon aftuigen door die kleerkast?'

Mr. Ümlaut keek zijn zoon niet aan. Hij zei geen woord totdat we de deur door waren en de beveiliger zich terugtrok, ervan overtuigd dat we niet langer een bedreiging vormden.

'Trots op jezelf, Gunnar?'

'Jij wel?' kaatste hij terug, met zo'n moreel gezag dat zijn vader zijn blik afwendde.

'Je begrijpt niet alles.'

'Ik begrijp heel wat meer dan jij denkt.'

Kjersten kwam tussenbeide. 'Papa,' zei ze, 'we willen dat je naar huis komt.'

Hij reageerde niet meteen. Hij nam ze op, leek iets te zoeken in hun gezichten, maar die gaven niks prijs – wat dat betrof waren ze net hun vader.

'Heeft je moeder het dan niet verteld?' vroeg hij.

'Wat?' zei Gunnar. 'Dat jullie uit elkaar gaan? Natuurlijk wel.'

Het verbaasde me dat Mr. Ümlaut ze dat zelf niet had verteld. Ook al wisten ze het al, hij had de plicht het ze in zijn eigen woorden uit te leggen.

'Ik laat jullie wel weten waar ik zit zodra ik het zelf weet,' zei hij. 'Jullie hoeven je nergens zorgen over te maken.'

'We moeten ons juist over van alles zorgen maken,' zei Gunnar, en hij ging vlak voor hem staan. Tot dan toe was hij op een afstandje gebleven, alsof er een onzichtbare muur om zijn vader heen stond. Nu liep hij door die muur heen. 'Papa, je bent ziek.' Hij keek naar de zaal vol gonzende, loeiende en rinkelende opwinding en draaide zich weer naar zijn vader toe. 'Je bent ernstig ziek. En ik ben bang dat als je er niets aan doet... als je niet ophoudt met gokken, dat het je dood nog wordt.'

Mr. Ümlaut leek de muur alleen maar dichter naar zich toe te trekken, dus Gunnar stond weer buiten. 'Beweert je moeder dat soms?'

'Nee,' zei Kjersten, 'dat vinden we zelf.'

'Ik waardeer jullie belangstelling,' zei hij alsof hij het tegen een stel vreemden had, en niet tegen zijn eigen kinderen. 'Maar ik red me wel.'

'En *zij* dan?' vroeg ik. Misschien ging ik buiten mijn boekje door me ermee te bemoeien, maar ik kon het niet laten.

Plotseling richtte hij al zijn woede op mij. 'Wat heb *jij* ermee te maken? Je kent ons amper! Wat weet jij er nou vanaf?'

'Laat hem met rust!' riep Kjersten. 'Hij is er tenminste als we hem nodig hebben. Hij is er tenminste.' Wat nog wel het meest positieve zal zijn geweest dat je over me kon zeggen. 'Hij blijft niet hele dagen weg, hij vergokt niet elke cent die hij heeft. Hoeveel geld ben je al kwijtgeraakt, papa? Eerst de auto, en nu het huis...'

'Je begrijpt het niet!' schreeuwde hij zo hard dat een ander gezin dat bij de receptie stond zich naar ons toe draaide. Vanachter hun bagage namen ze ons op, al deden ze of ze ergens anders naar keken. Mr. Ümlaut dempte zijn stem. 'De auto en het huis – die waren we toch wel kwijtgeraakt, zo niet deze maand, dan wel de volgende. Een paar dollar vergokken maakt heus geen verschil.'

Volgens mij geloofde hij dat echt, en voor het eerst begon ik te snappen waar Kjersten en Gunnar tegenop moesten boksen. Mr. Ümlaut was advocaat geweest. Wat betekende dat hij met een briljant en overtuigend pleidooi kon aanvoeren waarom hij al die uren, dagen en weken het beste in het casino door kon brengen. Als ik was gaan zitten om zijn betoog aan te horen, had hij zelfs mij om kunnen praten. Er waren jury's zat die schuldige criminelen vrijlieten.

Toen liet Gunnar de bom vallen. Een bom waar ik niks vanaf had geweten.

'Mama neemt ons mee terug naar Zweden,' zei hij. 'Voorgoed.'

Hoewel het nieuws me schokte, was ik niet echt verbaasd. Kennelijk ging dat ook op voor Mr. Ümlaut. Hij wapperde met zijn hand alsof hij een zwerm muggen wegsloeg. 'Ze bluft,' zei hij. 'Dat roept ze al eeuwen. Ze doet het toch nooit.'

'Deze keer meent ze het,' zei Kjersten. 'Er liggen al tickets klaar,' en ze voegde eraan toe: 'Voor iedereen behalve voor jou.'

Die woorden raakten Mr. Ümlaut harder dan al het andere wat er was gezegd. Hij nam ze op, en loerde toen naar mij alsof ik op de een of andere manier het brein was achter een samenzwering tegen hem. Hij trok zich even in zichzelf terug. Ik kon de discussie die hij met zichzelf voerde bijna horen. Toen hij zijn mond weer opendeed, sprak hij met het soort beslistheid waarop we alle drie hadden gehoopt.

'Dat kan ze niet maken.' Hij schudde zijn hoofd. 'Dat is wettelijk niet toegestaan. Ze mag de grens niet over met jullie zonder mijn toestemming!'

We wachtten allemaal tot hij de gedenkwaardige beslissing nam om iets te DOEN. Wat dan ook. Dit was wat Gunnar en Kjersten hadden gewild. Goed, het was geen verzoening tussen hun ouders, maar het was een hele stap in die richting – ze wilden dat hun vader inzag hoeveel hij te verliezen had, en eindelijk besloot iets te ondernemen.

Ik wist zeker dat het Gunnar en Kjersten eindelijk was gelukt door die muur heen te breken. Totdat Mr. Ümlaut een diepe, lange zucht slaakte.

'Misschien is het wel beter ook,' zei hij. 'Laat je moeder me maar bellen. Ik teken alles wat getekend moet worden.'

En daarmee was het over. In één klap was het zomaar over.

Er zijn dingen die ik niet begrijp en die ik wel nooit zal begrijpen ook. Ik begrijp niet hoe iemand de moed zo volledig kan laten zakken, zo het hart van een zwart gat in duikt. Ik begrijp niet hoe iemands hang naar gokken, of drinken, of spuiten of wat dan ook sterker kan zijn dan de drang te overleven. En ik begrijp niet hoe trots belangrijker kan zijn dan liefde.

'Mijn vader heeft een trots karakter,' zei Kjersten terwijl we van het casino wegreden, alsof trots een excuus kon zijn voor zulk schandalig gedrag – en ja, ik weet dat hij ziek was, precies zoals

Gunnar had gezegd, maar daarmee viel zijn besluit niet goed te praten.

Ik had het gevoel dat het ook deels mijn schuld was, want ik was degene die Gunnar en Kjersten had overgehaald hierheen te gaan. Ik had oprecht gedacht dat het effect zou hebben. Zoals je al weet kom ik uit een geslacht van fiksers – maar wat gebeurt er als iets domweg niet te fiksen valt?

Ik dacht aan mijn eigen vader, die voor zijn leven lag te vechten en aan de winnende hand was, terwijl Mr. Ümlaut dat van hem vergooide, het opgaf – en het schoot door me heen dat ik door een worp van de dobbelstenen mijn vader had teruggekregen en zij die van hen juist waren kwijtgeraakt.

Het was een heldere, zonnige dag. Gunnar zat achterin en ik zat voorin naast Kjersten. Was het maar niet zulk mooi weer geweest. Had het maar geregend, want het geestdodende geluid van heen en weer zwiepende ruitenwissers was minder erg geweest dan deze stilte, of de valse emoties van de radio, die Kjersten al na een halve minuut had uitgezet. Kjersten straalde tegelijk vermoeidheid en dankbaarheid uit, en schaamte omdat ik getuige was geweest van het sentimentele familietafereel. De rit naar huis werd er nog ongemakkelijker door.

Er begon me steeds meer duidelijk te worden. Waarom Gunnar een dodelijke aandoening had geveinsd bijvoorbeeld. Ik vroeg me af wanneer hij voor het eerst was gaan vermoeden dat ze naar Zweden zouden vertrekken. Als hij terminaal was zou alles veranderen, of niet soms? Misschien zouden zijn ouders erdoor bij elkaar blijven – zou het zijn vader dwingen zijn geld aan de behandeling te besteden in plaats van het te vergokken. En aangezien de beste kliniek hier in New York zat, zou niemand ergens heen gaan. Als ik Gunnar was geweest, had ik misschien ook wel systemische pulmonale monoxie willen hebben. Want de ziekte van de zoon kon wel eens de ziekte van de vader genezen.

Ik wachtte zo lang mogelijk met het verbreken van de stilte in de auto, maar je kunt je eigen aard niet eindeloos verdringen.

'Ik had vroeger een vriend,' zei ik tegen ze. 'Een nogal vreemde jongen was het. Zijn moeder had hem toen hij vijf was achtergelaten in een winkelwagentje – en zijn vader behandelde hem alsof hij niet bestond...'

'Wat? Komen al jouw vrienden soms uit verknipte gezinnen?' vroeg Gunnar.

'Ja, ik trek probleemfiguren aan als vliegenpapier. Hoe dan ook, het ging een tijd best slecht met hem, hij heeft een paar heel stomme dingen gedaan – maar uiteindelijk is hij weer op zijn pootjes terechtgekomen. Het is hem zelfs gelukt zijn moeder op te sporen.'

'En ze leefden nog lang en gelukkig?' zei Gunnar.

'Nou ja, het laatste dat ik heb gehoord is dat ze allebei verdwenen zijn in de Bermudadriehoek – maar voor hun doen is dat heel normaal.'

'Wat Antsy volgens mij wil zeggen,' zei Kjersten, en ze klonk wat minder gespannen dan daarnet, 'is dat het met ons ook wel weer goed komt.'

'Goed is misschien wat te hoog gegrepen,' zei ik. 'Ik zou het houden op "minder verknipt dan de meeste anderen".' Gunnar moest erom lachen – wat mooi was, want dat betekende dat ik tot hem doordrong. 'Wie weet,' zei ik, 'draait je vader op een dag wel bij en hoor je hem ineens op zijn houten klompen op de voordeur af klossen.'

'Houten klompen zijn Nederlands, niet Zweeds,' zei Gunnar, maar volgens mij begreep hij de strekking wel. 'Maar stel dat hij bijdraait, wie zegt dan dat ik dat ook doe?'

'Dat doe je wel,' zei ik tegen hem.

'Het lijkt me sterk,' zei hij bitter.

'Ja, dat doe je wel,' zei ik opnieuw. 'Want je zit anders in elkaar dan hij.'

Gunnar gromde naar me, want hij wist dat ik gelijk had. 'Je klinkt net als mijn moeder.'

'Nee, het is nog veel erger. Ik klink als mijn eigen moeder.'

In zekere zin leek hij heel veel op zijn vader – ze omarmden allebei hun eigen ondergang, of die nu echt was of verzonnen. Maar Gunnar was uiteindelijk opgehouden met het beitelen van zijn eigen grafsteen. En wat mij betrof had hij daarmee het sterkste karakter.

Op maandagochtend luisterde ik eindelijk mijn berichten af – allemaal nog van de avond waarop we achter de ambulance aan naar het ziekenhuis waren gereden, toen mijn voicemail binnen een paar uur was volgelopen. Ze kwamen stuk voor stuk op hetzelfde neer: mensen die vroegen hoe het met mijn vader ging, hoe het met mij ging, die met me wilden praten. Het willen-praten-deel klonk steevast dringend, wekte de indruk dat er, in elk geval in hun wereld, iets enorm belangrijks te bespreken was.

Voor het eerst sinds Zwarte Woensdag ging ik weer naar school, klaar om te regelen wat geregeld moest worden.

In het begin sloegen mensen me op mijn rug, wensten me sterkte en alles. Ik vroeg me af wie het aan zou durven om te zeggen wat er werkelijk door zijn of haar hoofd ging. Ik had kunnen raden dat Woody Wilson de huilebalk als eerste de middenstreep over zou steken, en hoe.

'Hé Antsy, fijn dat het beter gaat met je vader en zo – maar ik moet het ergens met je over hebben.' De opgelatenheid en de schaamte in zijn ogen zorgden ervoor dat ik medelijden met hem kreeg. 'Over die maanden die ik aan Gunnar heb gegeven. Ik weet dat het maar symbolisch was en zo, maar ik zou me een stuk rustiger voelen als ik ze terugkreeg. Nu.'

'Dat kan helaas niet,' zei ik, 'maar wat dacht je hiervan?' Ik trok een ringmap uit mijn rugtas, klikte de gesp open en overhandigde hem twee nieuwe contracten die ik van tevoren al had ondertekend. 'Twee maanden van míjn leven. Een gelijke ruil voor wat jij aan Gunnar hebt gegeven. Het enige dat je hoeft te doen is signeren als getuige, en ze zijn van jou.'

Hij keek ernaar, dacht even na en zei: 'Zo zal het ook wel kunnen.'

Zo ging het met allemaal. Met sommigen zelfs nog soepeler. Soms kwamen ze niet eens verder dan 'Hoor eens, Antsy -' voordat ik ze een maand gaf, *vaya con Díos* tegen ze zei, Frans of zoiets voor 'ga met God,' en ze opgetogen vertrokken.

Die dag toonde de menselijke hebzucht haar ware aard, want werkelijk iedereen probeerde een graantje mee te pikken. Zodra duidelijk werd wat ik aan het doen was, ontstond er een stormloop. Ze beweerden ineens meerdere maanden te hebben afgestaan, zelfs degenen die nooit iets hadden gedoneerd. Het kon me niet schelen. Ik ging er gewoon in mee.

Tegen de tijd dat de bel 's middags ging, was de schranspartij voorbij, en had ik 123 jaar van mijn eigen leven weggegeven.

Ik vertelde het aan Frankie toen ik later in het ziekenhuis kwam. Ik dacht dat hij me net als anders voor imbeciel zou uitschelden, maar hij was juist diep onder de indruk.

'Je hebt een beursgang gemaakt,' zei hij tegen me. Frankie, die hard op weg was om effectenmakelaar te worden, wist alles van dat soort zaken. 'Een geslaagde beursgang betekent dat mensen geloven dat je leven veel meer waard is dan het feitelijk is.' En hij voegde eraan toe: 'Je kunt maar beter zorgen dat je aandeelhouders tevreden blijven, anders kun je straks faillissement aanvragen.'

Aangezien dat in mijn geval fataal zou aflopen, wilde ik het liever vermijden.

Van alle gesprekken die ik die dag voerde, was dat met Skaterdud het interessantst. Hij was mijn straat op en neer aan het zoeven toen ik thuiskwam uit school. Het bleek te rommelen op de planeet van Dud.

'Slecht nieuws, Antsy. Ik sta nog te tollen van de klap, man, te tollen. Ik wist meteen dat ik er met jou over moest praten, want niet iedereen kan het niet begrijpen zoals jij, snap je?'

'Wat is er gebeurd?'

'Die waarzegster – die ene die me had verteld van mijn zeemansgraf. Blijkt dat ze de boel heeft geflest! Ze is niet eens helderziend. Ze heeft mensen afgezet, alles gewoon uit haar duim gezogen.

Ze is opgepakt. Ze had niet eens geen waarzeggingsvergunning!'

'Veel gekker moet het niet worden.' Ik probeerde mijn grijns te verbergen. 'Een waarzegster die dingen uit haar duim zuigt.'

'Je snapt wel wat dit inhoudt, hè? Nu valt er geen peil meer op te trekken. Wie weet wanneer ik kluiten ga trappen. Het is een en al vrije val zonder parachute, tot ik in de modder plons. Heftig, man. Zwaar heftig. Ik zou morgen al onder een bus kunnen lopen.'

'Dat gebeurt vast niet.'

'Maar het kan, daar gaat het om. Nu moet ik mijn hele manier van denken opnieuw opbouwen rond een wereld vol onzekerheid. Geen zaak om niet vrolijk van te worden.'

Ik dacht te weten waar de Skaterdud op aanstuurde, maar bij hem waren kickflips in de conversatie niet ongebruikelijk, en hij kon plotseling van richting veranderen. 'Dus je wilt je jaar zeker terug?'

Hij keek me aan alsof ik zojuist overschakelde van een gesprek met iemand anders. 'Nee – waarom zou ik?'

'Om dezelfde reden als iedereen. Door mijn vaders hartaanval zijn ze ineens allemaal bijgelovig geworden, en bang dat ze die tijd kwijtraken.'

Hij schudde zijn hoofd. 'Dat is gewoon dom.' Hij legde zijn schilferige hand op mijn schouder terwijl we verder liepen, alsof hij een oudere, verstandige broer was die me liet delen in diepe wijsheden. 'Kijk, ik zie het zo: die waarzegster is een oplichtster, niet? Berecht en veroordeeld. En als iemand schuldig wordt verklaard aan diefstal, moeten ze meestal schadevergoeding betalen aan de eisende partij, toch? En bestaat er geen gerechtigheid in het universum?'

'Ja, het zal wel.'

'Nou dan.' En hij tikte me op mijn voorhoofd om aan te geven dat zijn kennis overging in mijn brein.

'Eh... ik kan je niet meer volgen.'

Hij gooide zijn handen in de lucht. 'Luister je dan niet? Dat jaar wordt afgetrokken van het leven van die *waarzegster*, niet van dat van mij. Schadevergoeding! Ze moet de kosmos schadevergoeding betalen, er staat een kruisje achter haar karma. Simpel als wat.'

In zijn wereld is de scheidslijn tussen verlichting en hersenschade vliesdun, maar ik moet zeggen dat Skaterdud behendig op die lijn balanceert.

De zaterdag voor hun vertrek boden de Ümlauts hun overtollige inboedel te koop aan in de voortuin. Geen rommelmarkt zoals bij anderen, want de officiële ontruiming was al over drie dagen, en het huis moest leeg voordat de bank er beslag op legde. Praktisch al hun bezittingen stonden óf op de oprit óf op het dorre gazon. De rest werd nog naar buiten gedragen, de kille ochtendlucht in. Ik droeg mijn steentje bij totdat alles wat door de voordeur paste eruit was.

Ze hadden een advertentie in de krant gezet, dus de lijkenpikkers waren in horden uit hun holen gekropen om door hun eigendommen te snuffelen. Er zouden die dag ongetwijfeld zaken worden gedaan.

Gunnar leek minder geïnteresseerd in de verkoop dan in het praten over wat hem te wachten stond. 'We gaan bij mijn oma logeren,' vertelde hij me. 'In elk geval voorlopig. Ze heeft een landgoed buiten Stockholm.'

'Het is geen landgoed,' zei Kjersten. 'Het is gewoon een huis.'

'Ja, nou ja, als het hier stond, zou je het een landgoed noemen. Ze heeft zelfs onze tickets betaald. We vliegen eersteklas.'

'Business,' verbeterde Kjersten hem.

'Bij Scandinavian Airlines is dat net zo lux.'

Op dat moment besefte ik dat Gunnar ergens tussen gisteren en vandaag al was vertrokken zonder dat iemand het merkte. Hij was in gedachten al op dat Zweedse landgoed, maakte zich er thuis. Zijn lichaam ernaartoe krijgen was nog maar een kwestie van verzendkosten. Ik verwonderde me erover dat hij ondanks alles was opgekrabbeld. Ineens keek hij uit naar iets anders dan de dood. Hij liep niet eens meer in zwarte kleren rond.

Ik hielp Kjersten de spullen in haar kamer uit te zoeken. Ik voelde me er ongemakkelijk onder, maar ze wilde me erbij hebben.

En toegegeven, ik wilde er ook bij zijn. Niet zozeer om het uitzoeken, maar gewoon om het erbij zijn. Ik probeerde er niet bij stil te staan hoe snel de tijd verstreek, en hoe snel ze al op weg zou gaan naar het vliegveld.

'Je mag maximaal twee koffers per persoon meenemen,' zei ze tegen me. 'Voor extra bagage moet je bijbetalen.' Ze dacht even na. 'Misschien lukt het niet eens om er twee vol te krijgen.'

Wanneer je eenmaal afstand begint te doen van de dingen waarvan je denkt dat ze je leven houvast geven, zal het wel moeilijk zijn jezelf af te remmen – en dan ontdek je dat je leven zich helemaal uit zichzelf vasthoudt.

'Het zijn maar spullen,' zei ik tegen haar. 'En spullen zijn maar spullen.'

'Geniaal,' zei Gunnar vanuit de kamer ernaast. 'Mag ik dat als citaat gebruiken?'

Later op de dag kwam Mr. Ümlaut met een aanhangwagen langs om het weinige dat niet was verkocht op te halen, en om afscheid te nemen.

Het ging nogal stroef en opgelaten, maar in elk geval was hij er. Een sprankje hoop voor de bungelaars.

'Hij zegt dat hij een appartement in Queens heeft gevonden,' vertelde Gunnar me toen hij weer weg was – wat mij een hele vooruitgang leek na een kamer in het casinohotel, dus misschien had ons bezoekje toch nog enigszins effect gehad. 'Hij zegt dat hij op zoek is naar een baan. We zien het wel.'

Eenmaal thuis kreeg ik een telefoontje van Mr. Crawley, die me beval naar *Paris, Capisce?* te komen. Ik was er sinds mijn vaders hartaanval niet meer geweest. Mijn vader zelf trouwens ook niet – die was nog steeds aan het herstellen en liet de zaak aan anderen over, onder bedreiging van hersenchirurgie door mijn moeder.

'Je meldt je stipt om zes uur,' zei hij. 'En je zegt het tegen niemand.'

Wat uiteraard een aansporing was het aan iedereen door te kletsen. Al vertelde ik het uiteindelijk alleen maar aan Kjersten, en ik vroeg haar mee te gaan.

'Een laatste afspraakje in een goed restaurant,' zei ik tegen haar. 'En deze keer heeft niemand huisarrest.'

Toen ik arriveerde ontdekte ik tot mijn grote schrik dat Crawley iets nieuws had laten installeren om de ambiance te verhogen. Op de meest in het oog springende muur hing een gigantische ingelijste poster waarop ik water over senator Boswells hoofd goot. Er stond een tekst onder.

PARIS, CAPISCE?
Franse verfijning met Italiaans temperament

Kjersten schoot in de lach en bleef maar lachen en lachen. Ik probeerde mezelf voor te houden dat dat positief was – dat ze veel meer behoefte had aan lol dan ik aan, ach, laten we zeggen zelfrespect.

Wonder boven wonder bleek Crawley zelf aanwezig te zijn – ik kwam er zelfs achter dat hij tegenwoordig geregeld kwam om het personeel, via uiteenlopende methoden van intimidatie, bij te brengen hoe een toptent gerund hoorde te worden. Over de poster van mij en het slachtoffer was hij uiterst ingenomen met zichzelf. 'Ik heb ook overal in de stad billboards gehuurd,' vertelde hij me.

'Waar?' wilde Kjersten weten.

Ik was te verdoofd om het antwoord te verstaan.

'Was dat het?' vroeg ik aan hem. 'Mogen we nu aan tafel?'

'O,' zei Crawley, 'maar de festiviteiten moeten nog beginnen.'

In de zaal achter stond een filmploeg klaar van *Entertainment Right Now*, een dagelijkse show met filmnieuws en sterren die schandalige dingen uithaalden. De ster van vandaag was niemand minder dan – juist, in één keer geraden – Jaxon Beale, de leadzanger van NeuroToxin. Hij zat ontspannen aan een tafel met een bord nepvoedsel voor zich. Hij leek kleiner dan in zijn videoclips.

Kjersten was meteen in de wolken, en wat begonnen was als een vernedering werd plotseling iets heel anders. 'Jij wist dit van tevoren, hè?' vroeg ze me.

Ik ontkende noch bevestigde het. Vandaag haalde ik meer profijt uit zwijgen dan uit domheid.

Ik begreep niet waar dit allemaal om draaide, of waarom Crawley me per se hier had willen hebben, behalve misschien om te pronken met het feit dat hij op de een of andere manier een beroemdheid had weten binnen te slepen... maar toen greep iemand me vast, kreeg ik een wit kelnerschort voor en duwde iemand anders een volle karaf in mijn handen. Ik stond er sullig bij, een aflevering achterlopend op het programma.

'Camera, actie!' riep de regisseur, en Jaxon keek naar me, maakte een kom-maar-op-gebaar.

'Hé, waar wacht je nou op? Ik krijg toch wel een officieel welkom, of hoe zit dat?'

Op de achtergrond zag ik Crawley bij voorbaat grijnzend zijn vingers verstrengelen als Wile E. Coyote, en eindelijk viel het kwartje. Net als bij Kjersten.

'Oho! Oho! bracht ze uit. 'Je... je gaat JAXON BEALE natgooien!'

Het was de eerste keer dat ik Kjersten, parel van de debatclub, zo hoorde stamelen. Plotseling realiseerde ik me dat voor dit vochtige, stralende moment onze rollen compleet waren omgekeerd. Niet alleen was ik nu de volwassen kerel; zij was nu de verliefde puber.

'Nou,' zei ik, zo gladjes als een Porsche op het ijs, 'als mijn grote vriend Jaxon water wil, kan hij water krijgen.' Ik stapte op hem af terwijl Kjersten met haar handen voor haar mond stond te piepen, en ik zei: 'Welkom in *Paris, Capisce?*, Mr. Beale.' En daarmee kiepte ik de karaf boven zijn hoofd leeg.

Hij stond op en schudde het water van zich af. Even was ik bang dat hij kwaad zou worden en me tegen de grond zou beuken, maar in plaats daarvan begon hij gewoon te lachen, draaide zich naar de camera en zei: 'Kijk, zó wordt een ster graag behandeld!'

Vanaf dat ogenblik had ik geen routebeschrijving meer nodig om precies te weten waar dit toe zou leiden en waarom. Crawley had

Beale een bescheiden fortuin betaald voor deze publiciteitsstunt, en het was een verstandige investering. Je kunt over lijpe Crawley zeggen wat je wilt, maar hij is een geniaal zakenman.

'Het gaat allemaal om het perspectief,' zei hij tegen me terwijl Jaxon Beale een soppige handtekening zette voor Kjersten en de andere gasten die binnenkwamen. 'Het wemelt daarbuiten van de ego's. Als dit eenmaal wordt uitgezonden, komen de acteurs, politici, noem het maar op, over elkaar heen buitelen om door jou te worden verzopen.'

Dankzij de ontmoeting met Beale werd het een gedenkwaardig afspraakje. En het was nog specialer omdat ik het ons laatste zou zijn. Ik probeerde er alleen niet bij stil te staan, want we hadden al genoeg narigheid meegemaakt samen. We hadden een mooie avond verdiend. Ik bestelde in het Italiaans – ik spreek het niet bijster goed, maar bestellen kan ik als de beste. Nog steeds door het dolle heen omdat ze Jaxon Beale had ontmoet, was Kjersten een poosje een en al gedweep en gebloos en gegloei. 'O nee, ik heb vast vreselijk stom gedaan!' zei ze. 'Net als die stomme aanbiddende fans.'

'Neuh,' zei ik tegen haar. 'Je bent schattig als je onzeker bent.'

Tegen de tijd dat het dessert werd gebracht, was de rust weergekeerd, en de balans was hersteld. Toch was alles voorgoed veranderd. Voor het eerst voelde ik me meer haar gelijke. Misschien zag zij me nu ook zo – en het schoot door me heen dat het er in een relatie niet om draait dat je twee afzonderlijke individuen bent; het draait erom dat je je op je gemak voelt in de rol die de situatie vereist.

Dat zal wel de reden zijn geweest waarom mijn vriendschap met Lexie zelfs Noorse goden en echolocatie had overleefd – wij leken altijd te zijn wat de ander nodig had.

'Weet je wat,' had Lexie gezegd terwijl we op een middag in de woonkamer waren gaan zitten om de volgende ontvoering van haar opa te plannen. 'Als we allebei toevallig even niemand hebben, kan het volgens mij geen kwaad af en toe samen uit eten te gaan, of naar een concert.'

Ik denk dat het voor ons allebei prettig was om te weten dat zolang we elkaar hadden, we altijd een sociaal leven zouden hebben, zelfs wanneer we geen sociaal leven hadden.

Op de ochtend dat de Ümlauts naar Zweden zouden vertrekken, moest ik naar een begrafenis.

Ik had graag gezegd dat het slechts symbolisch was, maar helaas was het de harde realiteit. Ichabod, ons beminde kat, was eindelijk naar de eeuwige vensterbanken. We hadden besloten hem in de achtertuin van de Ümlauts te begraven, omdat daar al een flinke zerk stond waar anders toch niets mee zou gebeuren. Gunnar smeerde plamuur over zijn eigen naam heen en kerfde toen ICHABOD op de andere kant, en het kon er best mee door.

Christina had een gloedvolle grafrede geschreven, waar ze vermoedelijk al maanden aan bezig was geweest, zoals kranten beginnen met het voorbereiden van de overlijdensberichten zodra een beroemdheid een ingescheurde teennagel heeft. Met de foto's van ons allemaal op het houten kistje en de gedragen sfeer van de gelegenheid werden mijn ogen zelfs vochtig bij Ichabods plechtigheid. Het kon me niet schelen dat Kjersten en Gunnar me om een kat zagen huilen. Na alles wat ik had meegemaakt mocht het best. En trouwens, aan wie moesten ze het in Zweden nou doorvertellen?

Toen Ichabod onder de aarde was verdwenen, gingen we naar binnen, waar Mrs. Umlaut bezig was de lege keuken aan te vegen, want 'de bank mag niet denken dat we viespeuken zijn.'

'Het is net ma,' merkte Christina op. Als het op nutteloos schoonmaken aankomt zullen alle moeders wel hetzelfde zijn, ongeacht hun culturele achtergrond.

Christina wilde naar huis om in eenzaamheid te rouwen, maar ik liet haar wachten omdat ik Kjersten en Gunnar uit wilde zwaaien. De bagage stond bij de voordeur klaar voor de taxi. Zes stuks, plus een paar handtassen.

Schijnbaar onaangedaan keek Gunnar naar de gevel. 'We hadden last van muizen,' zei hij. 'En er hing altijd een rioollucht. Het is maar beter zo.'

Ik weet zeker dat er veel meer door hem heen ging dan hij liet merken, maar zo was hij nou eenmaal. Bij Kjersten leken juist overal de tranen uit te druppelen. In elk hoekje en gaatje vond ze verborgen herinneringen. Ze keek melancholiek de lege kamers door terwijl Mrs. Umlaut maar op en neer bleef rennen, trap op, trap af.

'Ik vergeet iets,' zei ze aldoor. 'Ik weet zeker dat ik iets vergeet.'

Uiteindelijk pakte Kjersten haar zachtjes beet en trok haar tegen zich aan om haar af te remmen. 'Alles is geregeld, mama. Alles is al gebeurd.' Samen wiegden ze even heen en weer, en ik kon niet bepalen of Mrs. Ümlaut haar dochter troostte, of dat Kjersten haar angstige moeder troostte. Over haar moeders schouder glimlachte ze naar me, en ik schonk haar een begrijpende glimlach terug.

Ik twijfelde er niet aan dat ik haar zou missen, maar de droevigheid die ik voelde was niet van het soort dat tranen oproept, en ik dacht: fijn, ik jank om de kat, maar ik huil niet om haar – maar ik denk dat ze het wel snapte.

Volgens mij wisten we allebei dat het tussen ons toch niet veel meer zou zijn geworden als ze was gebleven. De relatie had veel weg van die paraffine haardblokken die groots en fel branden, en dan de geest geven – een uur vóór de tijd die op de verpakking staat vermeld. Het leek me het beste dat we het hierbij lieten, voordat het zinloos werd.

'En,' vroeg ik, en het was maar half een grapje, 'als je eenmaal in Zweden bent, ga je dan een vriend van je eigen leeftijd zoeken?'

Ze keek me grijnzend aan en wendde toen haar ogen af. 'Antsy, ik denk dat jij de afgelopen paar weken minstens twee jaar volwassener bent geworden,' zei ze tegen me. 'Wat er ook is gebeurd, het wordt moeilijk iemand te vinden die aan jou kan tippen.'

Daarvoor gaf ik haar de beste zoen uit mijn carrière – waarbij Christina opmerkte: 'O, dus daarom heb je vanochtend je tanden gepoetst!'

De taxi arriveerde; we hoorden van buiten stotend geclaxonneer, als bij een brandoefening. Gunnar en ik droegen de bagage naar buiten. Net als elke andere Newyorkse taxichauffeur leek deze man het een belediging van zijn beroepseer te vinden om koffers in te laden.

Door al het getoeter waren er buren hun voorveranda op gekomen om de Ümlauts te zien vertrekken.

'Ah!' riep Mrs. Ümlaut ineens. 'Nu weet ik het!' Ze rende weer naar binnen en kwam terug met iets in haar hand. 'Deze is voor jou,' zei ze tegen me. 'Iemand wilde hem zaterdag meenemen, maar ik heb gezegd dat hij niet te koop was.'

Ze gaf me de roestvrijstalen vleeshamer aan.

'Als herinnering aan ons,' zei ze met een knipoog.

Voor het eerst gaf ze blijk van gevoel voor humor – en een bizar gevoel voor humor ook nog. Ik was onder de indruk.

'Dit wordt een van mijn dierbaarste bezittingen – ik zal hem bij mijn zeldzame paperclips bewaren,' zei ik tegen haar, en ze keek me een beetje raar aan. 'Nee, echt.'

'Je moet een keer in Zweden op bezoek komen,' zei ze, wat volgens mij even waarschijnlijk was als dat ik ooit een ruimtestation zou bezoeken, maar ik knikte beleefd. 'Graag.'

Toen hoorde ik een barse stem van ergens verderop in de straat ons tedere afscheid binnendringen.

'En hoe moet dat nou met onze planten?'

Ik draaide me om en zag dezelfde vadsige, kraalogige vent staan die eerder vervelende opmerkingen had gemaakt. Hij stond vanaf zijn balkon op de eerste verdieping naar ons te loeren. Vanuit deze hoek zag hij eruit als een levensvorm die je zou krijgen als je een mens kruiste met een hangbuikzwijn.

'Stuur je ons wel wat tulpenbollen op daarvandaan?' vroeg hij sarrend.

Mrs. Ümlaut zuchtte, en Kjersten schudde haar hoofd terwijl ze in de taxi stapte. 'Waarom verwart iedereen ons toch met Nederlanders?'

'Ik ken hem,' zei Christina. 'Zijn zoon zit bij mij in de klas. Hij vreet de potloodslijpsels op.'

'Ga maar weg,' gromde hij. 'Opdonderen! Wij moeten jullie hier niet!'

Ik stond op het punt hem op zijn nummer te zetten toen ik ineens een dreun hoorde, en ik zag dat Gunnar op de motorkap van de taxi was gesprongen – en tot grote ergernis van de chauffeur klom hij verder naar het dak.

'Jullie komen nooit van me af!' riep hij naar de hangbuikman. Hij spreidde zijn armen naar alle buren, en hij zei luid en duidelijk: 'Ik zal overal zijn – waar je ook kijkt. Vechten de hongerigen om eten, dan ben ik erbij. Slaat een agent een kerel in elkaar, dan ben ik erbij. Ik zal te vinden zijn in het geschreeuw van kwade mannen, in het gelach van kinderen die honger hebben en weten dat het avondmaal klaar is. En wanneer ons volk eet van de gewassen die ze telen en wonen in de huizen die ze hebben gebouwd, dan vind je me daar ook.'

Ik moest lachen – ik klapte zelfs, want eindelijk had Gunnar een echt citaat gevonden. En met alle respect voor John Steinbeck, wat mij betrof was het voortaan van Gunnar.

Hij maakte een trage, uitgebreide buiging, sprong weer op de grond en deed toen iets heel on-Gunnarachtigs. Hij pakte me vast en klemde me zo stevig tegen zich aan dat hij mijn botten kraakte als een chiropractor. Toen hij me losliet, bleven we allebei even wat onbeholpen staan.

'Zeg alsjeblieft dat Dewey Lopez hier geen foto van heeft gemaakt,' zei ik.

'Als hij dat wel heeft gedaan, is het nu jouw probleem.' En daarmee dook hij de taxi in. 'Ciao.'

Kjersten stak haar arm uit het raampje om me nog één keer even beet te pakken. De chauffeur spoot zo hard weg dat haar hand bijna achterbleef. Ik keek ze na terwijl ze de straat uit scheurden en om de hoek verdwenen.

'Op een dag,' zei Christina, 'hoop ik dat ik net zulke maffe vrienden krijg als die van jou.'

Mijn gedachten waren nog steeds bij Kjersten. Had ik maar een citaat kunnen verzinnen, net als Gunnar – je weet wel, de volmaakte afscheidswoorden die haar voor eeuwig bij zouden blijven.

Maar ja, wat zeg je tegen een Scandinavische schoonheid die naar de luchthaven vertrekt om je leven uit te vliegen?

Precies zoals de ouwe Crawley had voorspeld, krabden de be-roemdheden elkaars ruggen open om binnen te komen bij *Paris, Ca-pisce?* Uiteindelijk moesten we ertoe overgaan ze in te roosteren – één per avond – zodat ze niet allemaal tegelijk in de zaak zaten. Mijn vader, die nog steeds aan het herstellen was, noteerde thuis de re-serveringen, babbelde met impresario's en de sterren zelf. Het was geweldig! Ik schudde meer bekende mensen de hand dan ik ooit had gedacht in een heel leven te ontmoeten, en mocht vervolgens water over hun hoofden uitgieten.

Door al die beroemdheden oefende het restaurant grote aan-trekkingskracht uit, en de tent zat avond aan avond vol met men-sen die hoopten behalve een goede maaltijd te zien te krijgen hoe een celebrity kletsnat werd gegooid – of door mij, of door de jongen die was ingehuurd omdat hij qua uiterlijk en stem precies op mij leek, wat ik nog steeds te griezelig vind voor woorden.

Zelfs Christina wist er een slaatje uit te slaan; zij bood de karaf-fen die we gebruikten te koop aan op eBay, tegen prijzen waarmee ze later haar studie zou kunnen bekostigen.

Lang verhaal kort: tegen de tijd dat pa eraan toe was om weer aan de slag te gaan, was *Paris, Capisce?* het populairste adres van Brooklyn geworden. We waren allemaal realistisch genoeg om te weten dat trends maar tijdelijk zijn en dat het zou overwaaien, maar we hadden ook genoeg meegemaakt om te weten dat we ervan moesten genieten zolang het duurde.

'Er moet wel wat veranderen,' zei mijn vader tegen ons. 'Nu we altijd vol zitten, hebben we er veel meer werk aan.'

Dus verdubbelde hij de bezetting, bracht zijn eigen uren terug tot de helft en liet het stressen aan iemand anders over. Hij had zelfs weer tijd om thuis samen met ma te koken, en in het weekend met mij een paar sportwedstrijden te kijken.

'Wanneer ik uiteindelijk het hoekje om ga, is het ongetwijfeld door een hartaanval,' zei hij tegen me. 'Maar laten we hopen dat het net zo gebeurt als bij je opa.' Wiens rikketik pas was afgehaakt toen hij haast achtentachtig was.

Het gaat allemaal om het perspectief, had de ouwe Crawley gezegd. Perspectief kan een hoop verschil maken, hè? Het had weinig gescheeld of mijn vader was doodgegaan, maar bekijk het vanuit een andere invalshoek, en het is een waarschuwing die hem heeft geleerd de belangrijke dingen in het leven meer te waarderen. En de Ümlauts – die waren praktisch alles kwijtgeraakt wat ze hadden, maar vanuit een andere invalshoek was het een schitterende kans om met een schone lei te beginnen.

Een paar maanden later liep ik hun straat nog eens in, vooral uit nieuwsgierigheid. Het pand stond nog steeds leeg, en het lag nog steeds midden in een stofschaal. De bank die het nu in bezit had probeerde het nog steeds tevergeefs te slijten. In haar drang Ichabods graf te beschermen had mijn zusje namelijk het praatje de wereld in geholpen dat er niet slechts één kat in de achtertuin lag begraven – het was feitelijk het lokale dierenkerkhof, het graf van honderden viervoeters – die niet allemaal in vrede rustten.

Het gekke aan dat soort geruchten is dat hoe ongeloofwaardiger ze zijn, hoe eerder het kopers zal afschrikken. Net goed voor die rotbank.

Terwijl ik dichter bij het huis kwam, zag ik een eenzaam sprietje dat door een barst in het trottoir omhoog probeerde te komen. Het eerste teken dat de stofschaal op zijn eind liep. Toen ik wat beter naar de tuinen om me heen keek, zag ik overal lelijke, iele plukjes onkruid de kop opsteken. Het leven begon terug te keren in de buurt, en ik bedacht hoe toepasselijk het was dat het eerste dat opkwam uitgerekend de planten waren die de bewoners met nog meer verdelgingsmiddel te lijf zouden gaan. Zo was de cirkel weer rond.

Ik, ik had wel wat beters te doen dan naar het groeiende gras te kijken, want voor mijn vijftiende verjaardag had ik van mijn ouders een paspoort en een vliegticket gekregen. Het groen in Brooklyn mag dan zo zijn eigen charme hebben – het schijnt dat het tijdens de voorjaarsvakantie prachtig is in Zweden!

AANHANGSEL

'Een familie is een verzameling vreemden gevangen in een web van DNA, *die gedwongen zijn met elkaar te leven.'*
  – Maria von Trapp

'Geen middagmaal zal zich ooit aandienen vrij van betaling in klinkende munt of ponden vlees.'
  – William Shakespeare

'Vooruit dan, ik geef toe dat ik het duister wel eens heb vervloekt.'
  – Eleanor Roosevelt

'Rijk zijn stelt niets voor vergeleken bij steenrijk zijn.'
  – Bill Gates

'Wat niemand zich lijkt te realiseren, is dat er op de maan geen toiletten zijn.'
  – Neil Armstrong

'Ik treur niet om het verlies van mijn gehoor; ik voorzie in feite een tijd waarin de populaire muziek hele bevolkingsgroepen naar mijn aandoening zal doen verlangen.'
  – Ludwig van Beethoven

'Tijd is de niet te kwantificeren grondstof die het raderwerk van de schepping oliet. Maar ik heb liever Russische dressing.'
  – Albert Einstein

'Het vervalsen van citaten is vergelijkbaar met het vervaardigen van polyester. Het mag zich dan voordoen als zijde, in een warm klimaat is het verstikkend.'
  – Mahatma Gandhi

SKATERDUDS EUFEMISMEN VOOR DE DOOD

Bloemetjes opdrukken
Composteren
Modderworstelen
Een wormenkuurtje volgen
De wortelrumba dansen
Zeewier sabbelen*
Formaldehyde snuiven
Op visite bij de onderburen
Satijn snuffelen
De China-express
Kluiten trappen
Het laatste tuinfeest
De longen leegblazen
De spadesymfonie
Het eindsignaal fluiten
Pootaardappel spelen
El grande adiós

*) voor een begrafenis op zee

ANTSY BONANO'S TIJDCONTRACT
(definitieve versie)

Hierbij verklaar ik, ……………………………………..,
in volle tegenwoordigheid van geest, een maand van mijn
natuurlijke leven te vermaken aan Gunnar Ümlaut, onder
de volgende voorwaarden:

1. Deze maand zal niet aanstaande mei of juni betreffen,
   of de laatste maand van Gunnar Ümlauts leven, geen
   februari in een overbruggingsjaar, of de maanden van
   zijn diploma-uitreikingen op het middelbaar of hoger
   onderwijs, of de maand van zijn huwelijk, mocht hij
   tot die dagen leven, aangezien die maanden al zijn
   gereserveerd door anderen.
2. Deze maand zal worden afgetrokken van het eind van
   mijn natuurlijke leven, en niet van het midden.
3. De gedoneerde maand zal vervallen als mijn eigen
   houdbaarheidsdatum minder dan 31 dagen verwijderd
   is van de datum van dit contract, ongeacht de lengte
   van de maand die uiteindelijk wordt gedoneerd.
4. Mocht Gunnar Ümlaut mijn maand gebruiken voor
   criminele activiteiten als winkeldiefstal of seriemoord,
   dan word ik daarvoor niet verantwoordelijk gehouden.
5. De maand zal worden ingekort tot twee weken als
   Gunnar Ümlaut om welke reden dan ook mijn vijand
   zou worden, met inbegrip van maar niet beperkt tot het
   volgende: een familievete, persoonlijke wrok, niet-
   terugbetaling van schulden, alle vormen van kwaad-
   sprekerij, pesterijen en het weigeren van een redelijk
   verzoek een deel van zijn middagmaaltijd af te staan.
6. Gunnar Ümlaut en/of zijn naaste verwanten zullen

geen aanspraak hebben op bezittingen of tijdfragmenten buiten de in dit contract toegekende, en de bewuste maand zal geen geldwaarde vertegenwoordigen, tenzij wederzijds anders overeengekomen, in welk geval ik de opbrengst eerlijk en zonder beperking zal delen, met de uitzondering van beperkingen die voortkomen uit het verifieerbare einde van Gunnar Ümlauts leven, ofwel voorafgaand ofwel na voornoemd einde.

7. Mocht de uitwisseling van deze maand aanleiding geven tot enig geschil, dan zullen beide partijen zich onderwerpen aan bindende arbitrage door Anthony Bonano, in dit verband bekend onder de naam Meester des Tijds.

Handtekening

Handtekening van getuige